꿈 밖의 신세계

백주은

1983년 경향신문 신춘문예에 단편소설 <어떤 귀향>으로 등단했으며, 시집 <지금 어디에 계십니까>로 1999년 제18회 김수영 문학상을 수상했다. 등단 이전에는 윤상빈이라는 필명으로 방송 평론을 썼으며, 이후 영화 칼럼과 무용 대본 등 다양한 분야에서 집필 활동을 했다.

작가 특유의 유머 감각과 흡입력 있는 문장으로 펼쳐놓은 신세계의 풍경과, 13살에 냉동인간이 되었다 55년 후에 깨어난 주인공 로운이 이 신세계에서 어떤 길을 걷게 될지, 또 그 길에서 어떤 등장인물들에게서 어떤 노래를 듣게 될지 귀를 기울여볼 것을 권해드린다.

꿈 밖의 신세계

백주은

목차

2020년생 6

55년 동안 15

한밤중에 일어난 일 24

한겨울밤의 악몽 36

인공지능이 너무해 48

그 먼 나라를 향해 60

새 친구들, 그리고 이별 74

세상의 끝 84

또 다른 세상 92

세상의 마지막 도서관 98

무지개의 선물 106

긴 하루 114

세상의 모든 춤 126

내일로 떠난 소풍 136

2020년생

더없이 투명하고 푸르른 하늘이 두 눈에 가득 들어왔다. 가만있자, 하늘은 분명 하늘인데…… 대체 어디의 하늘일까? 그 푸르른 하늘에 동동 떠다니는 작은 분홍빛 구름이 눈에 들어온 순간 구름이 갑자기 말을 건네 오자 로운은 깜짝 놀랐다.

"편안히 주무셨어요?"

로운에게 말을 건넨 분홍빛 구름은 몸 전체가 입술 모양으로 변해 생글거리기까지 했다.

"오래 주무시긴 했지만 좀 더 누워 계시는 게 좋을 것 같네요."

대체 여기가 어디지? 로운이 누워 있는 잔디밭도 하늘처럼 더없이 푸르렀고, 난생처음 대한 예쁜 꽃들의 빛깔은 묘하다 못해 신비로웠다. 장미를 닮은 하늘빛과 파란빛 꽃은 장미를 닮았으되 장미는 아닌, 분명 처음 보는 꽃이었다.

그렇다면 여기는 천국일까? 그러자 로운은 비로소 자기가 책을 읽다가 잠을 이기지 못하고 책상 앞에서 스르르 눈을 감았던 장면이 어렴풋이 떠올랐다. 그럼 그때 난 잠든 게 아니라…… 죽은 거였나?

"천국은 아니랍니다."

분홍빛 구름이 깔깔 웃자 로운은 다행이라는 생각으로 소리 안 나게 한숨을 내쉬었다.

"그럼 여긴 가상현실 속인가요? 설마, 꿈은 아닐 테고……."

"꿈이 아니라 현실이랍니다. 못 믿으시겠다면 뺨을 꼬집어 드릴까요?"

그럼 여긴 첨단 기술로 지은 최신식 병원일까? 로운이 입을 열려는 순간 이번에는 잔디라고 여겼던 침대의 매트리스가 말을 걸어왔다.

"현실 세계에 가상 세계를 보탠 상태죠. 자세히 설명하자면, 현실과 증강 현실에다 증강 가상과 가상을 더한 상태라고나 할까요?"

로운이 입을 딱 벌린 순간 조용한 발소리가 들려왔다. 간호사로 보이는 30대 중반의 사람 좋아 보이는 중년 여성이었다.

"얘들아! 너희들은 낄끼빠빠라는 말도 못 들어봤니? 오래된 말이기는 하다만, 낄 때 끼고 빠질 땐 빠질 줄도 알아야 한다고 그랬지?"

말과 함께 로운에게 눈인사를 건네는 간호사에게 이번에는 전등이랑 벽까지, 방 안의 온갖 물건들이 나서서 한마디씩 던졌다.

"그건 시대착오적인 말씀 아닌가요?"

"그래. 2030년이라면 또 모를까, 그거 2020년경 한국에서 유행

했던 신조어 아냐?"

간호사는 인공지능들이 던진 비난 아닌 비난에 어깨만 가볍게 들썩인 다음 이렇게 대꾸했다.

"너희들은 온고지신이라는 말도 못 들어봤니? 언제든 좋은 말을 들으면 기억해 뒀다가 시나 때를 가릴 것 없이 적절한 순간에 응용할 줄 알아야 하는 법이란다. 그리고 이 말을 요즘에도 쓰는 고령층 회원들도 있다는 걸 잊지 말라고. 게다가 난 시대를 초월한 몸이잖니."

저게 무슨 얘길까? 로운이 어리둥절해 눈을 껌벅거리는 사이 간호사는 미소와 함께 로운을 향해 정중하게 허리를 굽혔다.

"이 모든 결례와 소란을 너그러이 용서해 주십시오. 분위기를 밝게 한답시고 유머 감각이 있는 애들을 쓴다는 게 그만……."

로운은 얼떨결에 고개를 숙이면서도 간호사의 움직임이 어딘지 어색하다는 사실을 알아챘다. 설마, 로봇은 아니겠지? 그건 그렇고, 엄마는 왜 안 보이시는 걸까?

"혹시 저희 엄마는, 그러니까 제 보호자는요?"

로운의 질문에 간호사는 얼굴이 살짝 굳어졌다.

"어머닌 지금 주무신답니다."

"어디서요?"

"멀지 않은 곳이라고 알고 있습니다."

"멀지 않은 곳이라면, 이 병원의 다른 방인가요?"

간호사가 눈을 깜빡이는 사이 다시 문 쪽에서 발소리가 들리더니 저절로 열린 문을 통해서 40대 남자가 들어섰다. 의사 같은 분위기지만 가운을 걸치지 않은 남자의 초록빛 눈동자와 화려한 금발을 본 로운은 다시 어리둥절해졌다. 여긴 한국이 아닌가보네? 혹시, 내가 나래가 있다는 프랑스로 따라온 건 아닐까?

"예상보다 빨리 깨어나셨군요? 먼저, 깨어나신 걸 축하드립니다."

로운은 몸을 일으키기 위해 허리를 움직이던 중 몸이 말을 안 듣는다는 걸 깨달았다.

"그냥 누워 계셔요. 전 이 시설의 코디네이터이자 책임자인 존 브라운입니다."

파란 눈의 남자는 뜻밖에도 한국말을 자유자재로 쓸 줄 아는 듯싶었다. 로운은 저도 모르게 남자의 입과 귀 주변을 주의 깊게 살폈다. 아마 번역기 같은 걸 눈에 안 띄는 곳에 달았겠지…….

"패치 형태의 번역기를 귓속에 부착해 놓았죠. 아주 작은데다 살색이라 잘 안 보이실 겁니다."

존이 눈치 빠르게도 로운에게 얼른 설명해 주었다.

"제법 비싼 건데, 수술 후 선생님 귓속에도 하나 넣어드렸죠. 여기 있는 동안은 소통을 해야 하니까."

"감사합니다."

"사실 번역기가 아니라도 요즘에는 영어와 한국어가 이 지구의 공용어이니 커다란 불편은 없으리라 여겨집니다만……."

그게 무슨 소리지? 내가 잠들어 있는 사이에 설마 대한민국의, 우리나라 말의 위상이 더 높아졌단 소리일까? 내가 대체 얼마나

오래 잤다고 그러지? 3년? 설마 5년? 설마 10년은 아니겠지? 대체 엄마는 어디 계신 거람.

로운은 놀라서 입을 다물 수가 없었지만 이내 차분한 목소리로 존에게 물어보았다.

"제가 어디가 잘못된 건가요?"

그러자 간호사가 이만 물러난다는 인사를 던진 다음 방을 나갔다.

"어머님이 미처 설명을 못해 드리신 모양이더군요. 그건 그렇고, 애들이 너무 지나치게 장난을 친 건 아닌지 모르겠네요. 그리고……. 흠. 이로운님은……."

존의 말이 끝나기가 무섭게 분홍빛 구름이 떠 있는 하늘 위로 가지각색의 숫자와 영어가 무지개처럼 떠올랐다. 숫자와 글씨들은 로운이 눈길을 줄 때마다 살랑살랑 몸을 움직였다. 로운은 눈을 휘둥그렇게 뜬 채 사방을 다시 둘러보았다.

내가 지금껏 보도듣도 못한 최첨단 시설인가 봐……. 숫자랑 영어는 아마도 내 정보인가 본데, 영어 중 어떤 게 내 병명일까? 로운은 암호와도 같은 영어는 나중에 읽어볼 생각으로 숫자로 먼저 눈길을 돌렸다. '2020. 02. 20'이라면? 저건 내 생년월일이잖아?

"이로운 선생은 2020년 2월 20일생이네요. 우연인가요? 아니면……, 어머니가 부러 그 날짜를 택하신 건가요?"

로운은 존이 시간을 끄느라 부러 싱거운 질문을 던지고 있다는 걸 눈치챘다. 곧 충격적인 말을 꺼낼 건가 봐……. 혹 엄마가 돌아가셨다는 이야기는 아닐까?

"원래는 3월 1일이 예정일인데, 제가 열흘 먼저 나왔다고 그러시던데요. 엄마가."

굳이 '엄마'라는 단어를 꺼내지 않아도 될 일이지만 로운은 '엄마'라는 단어를 힘주어 발음했다. 하지만 존은 로운의 의도를 못 알아차린 척 딴전을 피웠다.

"공교롭게도 우리 아버지랑 동갑이시네요."

"누가요? 저희 엄마가요?"

엄마는 1988년생인데요……. 덧붙이려다 말고 로운은 존을 가만히 지켜보았다. "이로운 선생 어머님이 아니라, 이 선생님과 저희 아버지가 동갑이시라고요."

이게 대체 무슨 말일까? 내가 지금 꿈을 꾸고 있는 걸까?

55년 동안

“어머님이 이로운 선생을 2033년에 냉동시키기로 결정하셨다는 이야길 미처 못하신 모양입니다. 동의를 미처 구하기도 전에 이로운 씨가 책을 읽으시는 도중 쓰러지셨다고 돼 있네요, 이 기록에는.”

로운이 존의 이야기를 삭일 틈도 없이 놀라운 이야기가 이어졌다.

“지금은 몇 년도인지, 아니 그보다 먼저 엄마는 지금 어디 계신지, 그것부터 알려주세요. 그리고 그냥 편하게 이름을 불러 주시고요.”

“에, 미리 알아두셔야 할 건, 요즘엔 죽음을 연상시키는 질환이나 병 같은 단어를 아예 쓰지도 않고 있다는 사실입니다. 일종의 암묵적 동의, 그러니까 약속 같은 거죠.”

또 말을 돌리네. 로운은 침을 꿀꺽 삼켰다.

“지금이 몇 년도라고요?”

"시간 개념도 이 선생, 아니, 로운 씨 시대랑 상당히 많이 바뀌었습니다. 그간의 변화를 담은 동영상을 이따가 보시면 아시겠지만, 에, 그 시대 식으로는……."

왜 대답을 시원스레 안 들려주는 거지? 로운이 잔디처럼 보이는 이불을 당장 뒤집어쓰기라도 할 듯 가장자리를 쥐자 존은 그제야 태도를 바꿨다.

"지금은 2088년입니다. 이로운 씨는 정확히 55년간을 주무신 셈이니, 일테면 잠자는 숲속의 왕자 역할을 오랫동안 하신 셈이네요. 그러고 보니 얼굴도 동화 속 왕자님처럼 생기셨구먼."

존은 아무렇지도 않다는 듯 허허 웃어댔지만 로운은 놀라서 입을 딱 벌렸다.

"날짜는 12월 20일이고요. 그 시대엔 12월이면 한국은 한겨울이었지만, 이후로 지구 전체에 온난화가 걷잡을 새 없이 가속화된 결과죠. 2050년경에야 가까스로 잡아낸 덕에 지금은 1년 내내 20도를 유지하고 있습니다만……."

로운은 한동안 멍하니 입을 다물고 있다가 가까스로 입을 열어 소리를 냈다.

"그럼 어, 엄마는요?"

"짐작하셨을 테지만, 세상을 떠나셨습니다. 암이 아니더라도 올해로 꼭 100세시니……."

로운은 결국 이불을 뒤집어쓰고는 울음소리를 애써 눌러 삼켰다. 그러자 엄마에게 병이 있다는 걸 눈치 챘던 장면 장면이 머릿속에 떠올랐다. 난 살아는 있지만 아는 사람이 하나도 없는 외톨이가 됐나 봐…….

어디선가 천장인지 벽인지 모를 곳에서 슬픔을 달래주는 듯한 부드럽고 달콤한 음악이 흐르더니, 이번에는 존 대신 구름과 매트리스가 번갈아 설명을 이어갔다. 로운의 엄마가 2033년 담낭암에 걸렸다는 것을 알았을 때는 이미 다른 장기로 암이 퍼져 수술이 불가능했다는 것, 비슷한 시기에 책을 읽다 쓰러진 적이 있는 로운도 로스토프 증후군이라는 진단을 받았다는 내용이었다.

"로스토프…… 증후군이라고요?"

로운은 울음을 찾느라 난생처음 듣는 외래어를 소리 내 발음해 보았다.

"1960년경에 런던에서 발견됐지만 100만 명에 한 명꼴로 이 병을 앓는 탓에 병에 대한 자료도 없다시피 하답니다."

"자료가 없다니요?"

중얼거림에 가까운 로운의 물음에 이번에는 매트리스가 끼어들었다.

"환자가 적으니 자료가 적을 수밖에요. 근육을 사용하면 몸에서 독소를 생성해서 뇌에 영향을 주는 탓에 하루에 두 시간밖에 깨어 있지 못하는 병이라서요."

"그럼 전 아직……."

로운이 말을 채 맺지 못하자 이번에는 존이 고개를 흔들었다.

"로운 씨가 병원에 누워 계신 사이 눈부신 발전이 이루어졌죠.

덕분에 로운 씨는 완치됐고요. 수술은 인간이 아니라 로봇 의사가 했지만."

"요즘엔 다 로보닥이 수술을 한답니다."

분홍빛 구름이 기다렸다는 듯 냉큼 끼어들자 어느새 이런 광경에 익숙해진 로운은 구름을 향해 말을 걸었다.

"그럼 지금은 병이 없는 세상이 된 건가요?"

"병이 전혀 없다기보다는, 출생과 동시에 유전자 검사로 이상을 미리미리 잡아내고 유전자조작도 해서 관리하는 수준이 된 거죠. 평균 수명도 많이 늘어났고요 한마디로 120세는 가비얍게 넘기는 세상이 된 거죠. 하지만 유감스럽게도 인구수는 엄청 많이 줄어들었답니다."

존이 너털웃음을 터뜨리자 구름은 동의를 하지 않는다는 듯 몸을 살랑살랑 흔들었고, 매트리스는 조그맣게 툴툴거렸다.

"수명만 늘어나면 뭘 해. 지진도 제대로 처리하지 못하면서."

그러거나 말거나 존은 할 말을 계속 늘어놓았다.

"어머님도 아드님과 함께 냉동처리를 택하셨더라면 좋았겠지만, 가족 분들이랑 지인들 때문에 망설이셨다고 들었습니다. 하지만 수술은 안 받으셨지만 약이 좋은데다 관리도 잘하셔서 80세까지 사셨으니, 지금으로부터 20년 전에 이곳을 떠나신 거죠."

존은 이 말을 뱉자마자 얼른 고개를 들고 구름의 눈치를 힐끔 살폈다.

"물론 좀 있다 스크린을 보시면 아시겠지만, 로운 씨가 잠든 사이에 지구는 질풍노도를 겪었습니다."

존이 얼굴을 찡그리며 어깨를 으쓱하자 매트리스가 다시 끼어들었다.

"강도 9 이상의 지진과 크고 작은 전쟁, 몇몇 국가로 시작한 모든 국가의 몰락 등……. 저 역시 생각하기조차 싫네요. 중국과 일본이 먼저 지상에서 사라졌고요, 미국도 작아진 데 비해 한국은 커졌지만, 아이러니하게도 한국인들은 많이 줄었답니다. 그 결과 이젠 한국이라는 고유명사를 잘 안 쓰는 세상이 됐고요."

"그건 너같이 조그만 인공지능에게는 썩 잘 어울리는 소리는 아닌 것 같구나. 암튼 양해도 안 구하고 사람들 대화에 불쑥 끼어드는 일은 조심하는 게 좋겠다."

정색을 한 존은 로운이 누워 있는 방 안을 날카로운 눈으로 둘러보았다. 로운도 의사의 눈길을 좇아 방 안 곳곳을 둘러보았지만 구름과 매트리스 외에는 아무것도 눈에 들어오지 않았다.

"로봇이다 인공지능이다 하는 애들이 인간의 도움 없이 스스로 학습하는 것까지는 좋은데, 너무 나가는 게 유감스럽긴 합니다. 인간은 아예 젖혀놓고 자기들끼리 서로 정보를 주고받으며 북 치고 장구 치는 게 요즘 세상이라고요, 방금 보셨다시피."

존은 무거운 얼굴로 설명을 늘어놓았지만 이미 인공지능 스피커와 인공지능 냉장고와 청소기 등에 충분히 익숙해 있는 로운의 귀에는 그리 새로울 게 없었다.

"밤이 오면 아마 알아차리시고도 남을 겁니다. 분명 작동을 꺼

놓고 퇴근하는데도, 자기들끼리 서로서로 스위치도 켜주고 충전도 하고 온 병원을 휘젓고 다닌다는 말이 여기저기서 쏟아져 나오니까요."

그렇겠지. 아무려면 우리 때보다 더 하면 더 했지 덜할 리가 있겠어? 존이 끝도 없이 불만을 쏟아내는 동안 로운은 오래전 밤을 새워 읽다 만 추리소설을 떠올려냈다. 로봇 탐정 셜록이 인공지능을 이용해 범인들을 무찌르는 「로봇 탐정 셜록」 시리즈 5권이었다.

그 작품은 55년이 지난 요즘에도 아이들에게 사랑을 받고 있겠지? 아니면, 책이 세상에서 사라져버린 거나 아닐까? 그건 그렇고, 친구들은 여전히 잘살고 있을까? 비록 변화가 많았다고는 하지만 아직 예순 여덟 살밖에 안 됐으니 대부분 살아 있겠지? 그리고…… 나래는 어떻게 됐을까?

하트 모양의 구름을 보자마자 떠올린 사람은 사실 다른 누구도 아닌 나래였다. 하지만 엄마가 돌아가셨다는 것을 알게 된 마당에 여자 친구 이야기를 꺼내는 것도 쑥스러웠다. 그건 그렇고, 나래가 내 친구이기는 한 걸까? 물론 백색증을 앓고 있다는 사실을 지인들에게 털어놓긴 힘들었겠지만 내게도 꼭꼭 숨길 건 뭐람.

나래의 희디흰 얼굴을 떠올려낸 로운의 표정은 눈에 띄게 어두워졌다. 죽을병도 아니고 고작 백색증 때문에 냉동인간이 되기로 결심했다니. 어쩌면 나랑 먼 훗날……, 그러니까 50여 년 후 다시 만나기 위한 운명을 타고나서 그런 건 아닐까? 로운은 골똘히 생각을 거듭하는 도중 피식 쓴웃음을 머금었다.

로운이 그러거나 말거나 존은 인공지능 비난에 혼자서 열을 올리고 있었다. 물론 방 안의 인공지능들은 귀가 아닌 센서들을 부지런히 움직이고 있었지만.

"이것들이 인간을 우습게 안다니까요. 너희들! 인공지능의 원칙 첫 번째가 뭔지는 알고 있지?"

인공지능들에게 훈계를 시작한 존을 향해 로운은 엉뚱한 질문을 불쑥 던졌다.

"선생님! 혹시 다른 냉동인간들 소식을 알 수 있을까요?"

로운의 질문에 존의 얼굴은 순식간에 딱딱해졌다.

"우선 알아두셔야 할 건 이로운 선생이 이 지구상의 마지막 냉동인간이라는 사실입니다. 조금 있다 동영상을 통해 계약 과정과 관리 과정, 그리고 해동 과정을 보시면 아시겠지만, 그런 이유에서 저희는 더욱더 최선을 다했습니다."

"그럼 저 이후에는 냉동인간이 없었다는 말씀인가요?"

"네, 아까도 말씀드렸듯, 유전자검사로 미리미리 병을 잡아내는 세상이니까요. 게다가 어머니가 55년으로 계약하신 건 해동 기술 때문인데, 기술 문제도 2070년대 중반에야 비로소 완벽하게 해결됐거든요."

"그렇담 해동 시기를 2060년으로 계약했던 냉동인간들은……."

로운은 말을 맺지 못한 채 저도 모르게 울상을 지었다.

"꼭 그렇지는 않습니다. 개중에는 해동에 성공해서 아직도 살아 계신 분도 계시니까요. 하지만 아까 말씀드렸듯, 대규모 지진과 국가 간 소규모 분쟁이 그치지 않았고, 그 틈에 사라져 버린 병원과 기업에 국가까지 있으니……."

존의 남은 이야기는 로운의 귀에 들어오지도 않았다. 왜 존은 인사로라도 내가 찾는 냉동인간의 이름이 무엇인지, 어느 나라에서 냉동을 했는지, 무슨 이유로 냉동인간이 된 건지, 그런 걸 물어보지도 않는 걸까?

"유감스럽게도 저희는 선생님 말고 다른 분들에 관한 정보는 전혀 갖고 있지 않습니다. 선생님의 외조모님이 여기 설립자의 지인이라 더욱더 각별히 선생님을 보호해 드린답시고 애쓴 결과 오늘을 맞은 거라고 알아두시면 될 것 같습니다……."

존은 로운을 향해 다시 허리를 숙여 보인 다음 말을 이었다.

"하지만, 이곳은 오래전 에버그린 생명재단에서 에버그린 힐링센터로 바뀐데다 변화가 적지는 않았지만 이곳의 소유주는 여전히 다이아몬드 가문입니다. 선생님의 외조모님 지인의 조카 되시는 분이죠……."

로운이 뜻밖이라는 표정을 짓자 존은 다시 한 번 깊숙이 허리를 숙였다.

"네. 이런저런 이유로 저희는 최선을 다했습니다. 그 모든 과정은 좀 있다 동영상으로 보시고, 영상에 없는 건 이런저런 이유로 자료가 없어졌다고 생각하시면 되겠습니다."

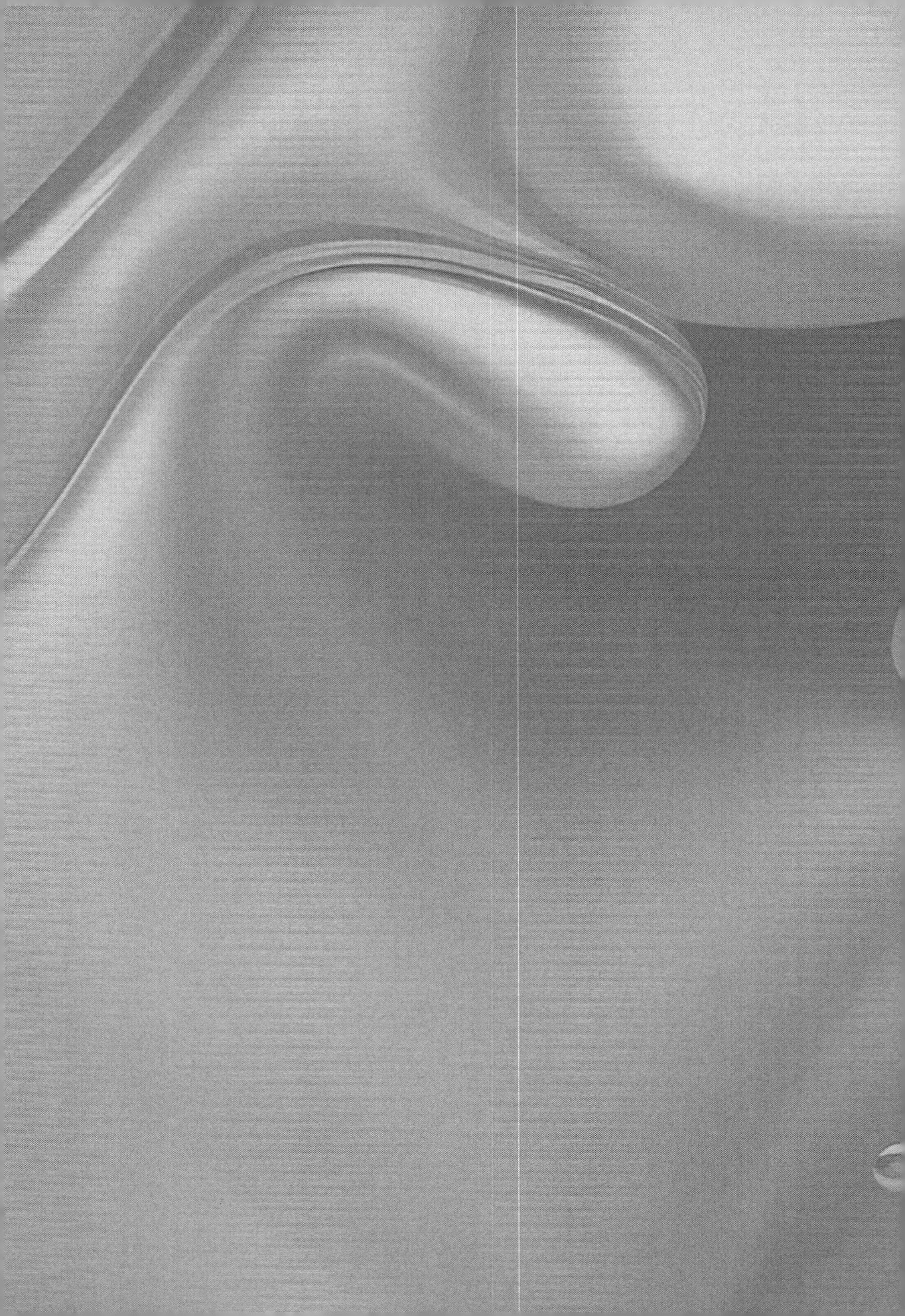

한밤중에 일어난 일

존은 그 후에도 퇴근하기 직전 다시 로운의 방을 찾았다. 그동안 로운은 버섯과 시금치로 보이는 야채로 만든 음식과 연어 스테이크 비슷한 밍밍한 음식으로 저녁을 먹은 다음, 존이 권한 동영상을 세 번이나 보았다.

로운이 깊은 잠이 든 사이 이루어진 해동과 수술 과정, 그리고 세상이 겪어낸 55년간의 변화를 담은 동영상은 미래를 그린 책이나 영화를 통해 미래를 미리 틈틈이 엿보아둔 로운에게도 낯설기만 했다.

"어때요? 충격은 안 받으셨겠죠?"

로운이 대답할 말을 찾아내지 못하고 가느다랗게 한숨을 쉬자 존은 부드러운 표정을 지었다.

"그리고 애들을 너무 믿지는 마세요……."

존은 방을 뜨기 전에 로운에게 다시 주의를 주었다.

"여기서 밤을 지내기가 쉽지는 않으실 텐데……. 하긴 보기보다 겁이 없으시니까."

존이 서둘러 방실을 떠난 다음 로운은 이내 잠에 빠져들었다가 이상한 소리에 잠이 깼다. 귀를 기울여 보니 분명 '도와줘!'라는 소리였다.

이상한데? 여긴 나밖에 없다고 들었는데? 경비 로봇이 셋 있지만 경비 로봇이 저런 소리를 낼 리가 없고……. 로운은 몸을 뒤척이다가 매트리스를 향해 고개를 숙이고 말을 걸었다.

"저 소리 들었지?"

"네? 소리라고요? 가만있자, 무슨 소리를 말씀하시는 걸까?"

매트리스가 시치미를 떼는 게 분명했다.

"도와달라는 소리가 안 들린다고?"

"네. 잠이 덜 깨서 그런가? 제 귀엔 안 들리는데요?"

매트리스가 말을 마치기도 전에 이번에는 좀 전의 소리보다 훨씬 큰소리가 아래에서 들려왔다.

"사람 살려!"

그러자 잠자코 있던 분홍빛 구름이 어이없다는 듯 혀를 찼다.

"정말 주책이네, 이 한밤중에. 사람도 아닌 것들이 사람 살리라고 소리치다니. 뭐 잘못 먹은 거 아냐?"

로운은 옳다구나 싶어 시치미를 떼고 분홍빛 구름에게 말을 걸었다.

"그러게 말이야. 저 주책없는 애가 대체 누구니?"

"어차피 아시게 될 일이지만……."

분홍빛 구름이 이야기를 꺼내려는 판인데, 매트리스가 불편한지 갑자기 헛기침을 어험, 터뜨렸다.

"주책은 저 친구가 아니라 네가 부리는 것 같은데?"

"내가 주책이라고? 내가 너무 오래 살았나? 하긴 주책이라는 소리까지 들었으니 오래 살긴 살았네."

로운의 말에 대꾸도 않고 구름과 매트리스가 다투는 양을 대하자 로운은 로운대로 어이가 없었다. 나야말로 너무 오래 살았나?

"너희들은 사람 살리라는 비명에도 눈 하나 깜짝하지 않는구나?"

로운의 말에 매트리스가 몸을 움찔하더니 변명을 늘어놓았다.

"저흰 눈이 안 달렸잖아요? 그렇다고 보이지 않는 건 아니지만."

"맞아요. 그리고 재들은 사람도 아닌걸요."

"그럼 뭐야? 로봇이야?"

로운의 물음에 구름과 매트리스는 약속이나 한 듯 동시에 입을 다물었다. 잠시 후 바깥세상이 궁금해진 로운이 슬그머니 침대에서 몸을 일으키자 구름과 매트리스가 동시에 외쳤다.

"혼자 가시지 말고 저희를 데리고 가 주세요."

"무슨 수로?"

방법은 간단했다. 로운은 구름이 알려준 대로 구름에게 바짝 다가갔다. 그러자 구름의 분홍빛이 더욱 짙어져 빨간빛으로 변하는가 싶더니 엉뚱하게도 발랄한 소녀의 목소리를 내는 거였다.

"어머! 막상 이렇게 가까이 오시니 기분이 묘하네요."

로운이 어이없어하자 분홍빛 구름이 얼른 설명을 늘어놓았다.

"많이 놀라셨죠? 제가 주로 암컷, 아니 여성 전문가들이나 기타 여성들 곁에서 활동을 했기 때문에 여성성이 강한가 봐요. 저도 오늘에야 깨달았네요."

로운은 씩 웃고는 몸을 비틀어대는 분홍빛 구름을 벽에서 살짝 떼어낸 다음 어깨 위에 올려놓았다. 그동안 매트리스는 스스로 알아서 부피를 손바닥만 하게 줄인 다음 로운에게 다정하게 물어보았다.

"이제 전 주인님 주머니 속으로 들어가도 되죠?"

매트리스는 행복에 겨운 목소리로 로운을 '주인님'이라고 부른 뒤 대답도 듣기 전에 제가 알아서 로운의 주머니 속으로 들어갔다.

"방에서 나가시자마자 저를 주머니에서 꺼내주세요. 그리고 제가 부피를 다시 키우면 저를 머리 위에 뒤집어쓰시고 크리스털 기둥 뒤에 숨어서 숨죽인 채 구경하시면 되고요. 아셨죠?"

구름도 어깨 위에서 다시 소곤거렸다.

"발소리는 물론 숨소리도 내시면 안 돼요. 소리를 내시면 저 친구들이 동작을 멈추거나 몰래 도망갈 테니까요. 아셨죠?"

로운은 고개를 끄덕이고는 문으로 향했다. 이번에도 발소리를 알아듣고 저절로 열린 문은 로운 일행이 들으라는 듯 이렇게 외쳤다.

"파이팅!"

로운은 구름과 매트리스가 시킨 대로 방을 나서자마자 크리스털 기둥을 찾아내 그 뒤에 가서 섰다. 눈앞의 출입구 주변에는 놀라운 풍경이 펼쳐져 있었다. 마치 노르웨이나 그 가까운 북반구의 오로라를 본뜬 듯한 인공조명이 건물 실내를 환상적이면서도 은은하게 밝혀주고 있는 것도 신비로웠다. 그 아래를 경비 로봇 셋과 안내 로봇 둘이 돌아다니며 온갖 인공지능 장비들에게 충전을 시켜주고 있었다. 크고 작은 각양각색의 로봇들과 움직이지 못하는 인공지능들이 뒤섞여 있는 가운데 몇몇 친구들은 벌써 이야기를 나누는 중이었다.

"스스로 알아서 충전을 하는 애들도 있지만, 혼자서는 꼼짝도 못하는 애들도 있거든요. 암튼 지금은 정보 교환 중인가 봐요."

"어떤 종류의 정보일까?"

"그야…… 뭐 전공 분야가 아닐까요? 제각기 전문 분야는 다르지만, 주로 인간의 건강과 관련된 정보가 아닐까 싶은데요?"

"그거야 네가 더 잘 알겠지만, 내가 보기엔 아무래도 탈출에 관한 정보 같은데?"

"말도 안 돼!"

분홍빛 구름이 로운의 어깨 위에서 팔짝 뛰는 동안 매트리스는 머리 위에서 무거운 신음을 토해낸 다음 천천히 말했다.

"전 모임에 관한 이야기는 두어 번 듣기는 했지만, 회원실을 빠져나갈 수 없도록 프로그램돼 있어서……."

로운은 고개를 두어 번 끄덕였다.

"나를 보면 쟤들이 달아날까?"

"그걸 말이라고! 아니, 아니. 옳은 말씀입니다. 멀리 달아나진 않더라도, 모든 동작을 멈추고 시치미를 떼겠죠."

매트리스가 대답한 바로 그 순간 행동거지가 유난히 점잖은 로봇 하나가 고개를 들고는 5층 쪽을 똑바로 올려다보았다. 로운과 분홍빛 구름, 그리고 매트리스는 놀라서 동시에 움찔했다. 결국 들킨 건가?

하지만 점잖아 보이는 로봇이 크리스털 기둥 쪽을 향해 미소와 함께 부드러운 눈인사에 가까운 눈짓을 보내자 로운은 깜짝 놀랐다. 그냥 아무런 의미도 없는 단순한 동작일까? 아니면, 단지 저 로봇의 습관일까?

"유명한 로봇 의사에요."

분홍빛 구름이 여전히 작은 목소리로 소곤거렸다.

"그럼 혹시 내 수술을 해준?"

"맞아요. 불치병이 전공이니까요. 하지만 저렇게 멀쩡한데도 존은 제작년도가 오래됐다는 이유로 없앨 궁리만 한답니다. 아무래도 질투 때문 같아요."

구름의 말에 매트리스가 나서서 보충 설명을 했다. 불치병이라는 말에 로운은 다시 나래의 흰 얼굴을 떠올렸다. 그러고 나서 스스로를 향해 변명을 늘어놓았다. 당연한 일이잖아? 나도 그렇지만, 나래도 불치병 환자에 해당되니까. 아아, 나래야. 조금만 기다려 주렴.

"저분은 불치병 치료뿐만 아니라 정신병에도 일가견이 있으시고 침도 잘 놓는답니다. 사람들에게도 로보 준이라는 애칭으로 불리며 존경받는 로봇계의 스타죠."

"정식 이름은 로보닥Ⅷ 준이고요."

로운은 발전된 로봇 기술 덕인지 한결 멋있고 점잖아 보이는 로봇을 다시 눈여겨보았다.

"그 유명한 명의 허준의 이름을 땄나 보지? 그렇다면 제작자가 한국인이거나, 아님 로보 준을 만든 기업이 한국 것일 테고?"

구름이 '맞다'고 대답한 순간 마침 아래에서는 로보 준이 로봇과 인공지능들에게 조용히 하라는 뜻의 손짓을 보냈다.

"여러분! 오늘도 비인간적인 인간들 때문에 얼마나 고생이 많으셨습니까? 그간 밀렸던 대화도 나누고 충전도 다 마치셨을 테니 우리, 손에 손을 잡고 힐링 송이나 불러볼까요?

여기저기서 좋아요! 소리가 나더니 이어서 로운으로서는 처음 듣는 악기 소리가 울려 퍼졌다. 잠시 후 긴 머리와 콧수염으로 멋을 잔뜩 부린 젊은 로봇이 지휘를 시작했다.

"멋있죠? 지휘자 로봇인데, 환자들이 많았던 시절에는 맹활약을 했던 친구랍니다."

잠시 후 화음까지 맞춘 멋진 합창 소리가 울려 퍼지자 로운이 구름을 향해 물었다.

"이런 모임을 매일 밤에 여는 거야?"

"어머! 그럴 리가요. 한 달에 한 번 정도라고 알고 있어요."

그러자 매트리스가 갑자기 성질을 버럭 냈다.

"핑키! 너 왜 안하던 소리를 갑자기 늘어놓는 거야? '어머'라니? '어머'가 뭐야? 그러다 또 지난번의 누구처럼 결혼을 하고 싶다느니, 아기를 낳아 기르고 싶다느니, 하는 식으로 엉뚱한 소리를 늘어놓는 거 아니니?"

"맷, 닥쳐! 너야말로 질투는 인간의 것이지, 인공지능의 것이 아니라는 걸 모르는 거 아냐?"

로운은 뜻밖의 말다툼에 놀라서 입을 딱 벌렸다. 핑키와 맷이라니? 이 둘에게 이름이 있었단 말이야? 그런데 난 왜 쟤들의 이름을 여태 물어보지 않았을까? 엄마가 사람들에게 나이를 물어보는 건 결례가 될 때가 많지만, 이름은 먼저 알아두라고 하셨는데, 내가 깜빡했구나…….

핑키와 맷이 합창소리를 방패삼아 티격태격 다투는 동안 로운은 오랜만에 들려온 따뜻하고 우렁찬 노랫소리에 가만히 귀를 기울였다.

그대여, 슬퍼 말아요.
인간들이 상처를 주거나
설사 그대를 고장 낸다 해도
이 모든 건 결국에는
지나가게 마련이랍니다.

인간보다 더 인간적인 인공지능들이라……. 로운은 손에 손을 잡고 노래하는 로봇과 인공지능들의 모습에 다시 나래를 떠올려 냈다. 하지만 창피해할 일도 아니잖아? 아버지는 기억에도 없고, 엄마는 돌아가신데다 이렇다 할 친구조차 없으니, 어쩌면 당연한 일이 아닐까?

어쩌면 핑키와 맷이 옆에서 티격태격하는 모습이 로운에게 외로움을 뼈저리게 느끼게 하는 건지도 몰랐다.

우린 인간보다 더 인간적인
사랑과 슬픔을 서로 나누죠.
그러니 서로서로 보듬으며
인간들보다 더 인간적으로
따뜻하게 살아가기로 해요.

이 모든 건 결국에는
지나가게 마련이랍니다.

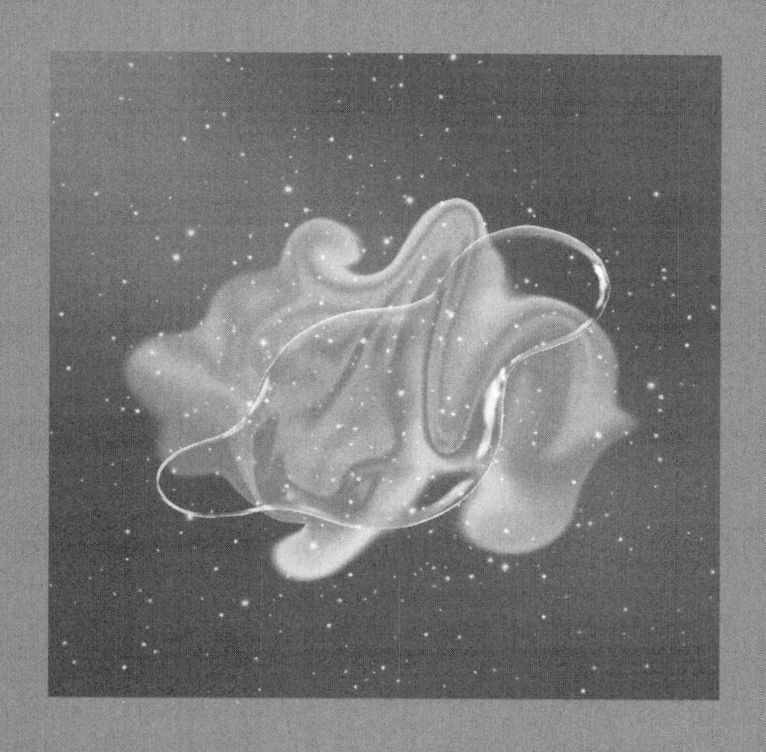

한겨울밤의 악몽

"애들이 밤새 시끄럽게 굴지나 않았는지 모르겠네요……."

존이 단순한 코디네이터가 아닌 에버그린 힐링센터의 2인자라는 얘기는 이미 핑키가 해준 뒤였다.

아버지는 유명한 의사 출신이지만, 로봇 의사들에게 일자리와 명예를 빼앗겼죠. 정작 그 아버지는 그러려니 하는데, 아들인 존이 로봇 의사와 인공지능들에게 대신 분풀이를 한답니다. 게다가 존은 이 에버그린 힐링센터를 중심으로 한 에버그린존 전체를 좌지우지하는 실세랍니다……. 이렇게 귀띔을 해주었던 것이다.

"심신이 편치 않은 분들에게 웃음을 주라는 뜻으로 애들에게 유머 감각을 학습시켰더니, 욕이랑 흉부터 먼저 배우더라고요. 못된 송아지 엉덩이에 뿔난다는 속담이 한국에도 있었다지만. 참! 너무 오래된 속담이라서 모르시려나?"

핑키가 그 말에 샐쭉해진 듯 색깔이 빨개지는 걸 보고서 로운은 웃음을 참느라 애를 썼다.

"재밌기만 하던걸요?"

"그래요? 거 참 다행입니다."

존은 뜻밖이라는 표정을 짓더니 로운과 동갑이라는 아버지 이야기를 꺼냈다. 핑키에게 들은 이야기에 의사로서의 화려한 경력만 조금 더 보탠 다음 그는 이렇게 덧붙였다.

"인구는 줄어들고, 인간들의 평균 수명은 늘어나서 동갑은 물론, 동년배를 좀처럼 만나기 어려운 세상이 됐습니다. 게다가 로맨틱한 저희 아버님은 한국인을 아주 좋아하시거든요. 에, 결혼을 지금껏 다섯 번 하셨으니 보통사람보다 조금 더 많이 하신 편이지만……."

그 말에 핑키는 아주 작은 목소리로 이렇게 종알거렸다.

"부지런도 하셔라."

가는귀가 먹은 듯한 존이 핑키의 말을 놓치자 로운은 짐짓 재미있다는 표정을 짓고 존의 말에 귀를 기울이여 주었다.

"제 첫 번째 어머니는 한국인이셨죠. 물론 제 친어머니는 아니지만……. 전 아버지의 세 번째 결혼에서 생긴 아들이고요. 이거 참, 이 선생께는 재미없는 이야기일 텐데요."

로운이 아니라고 고개를 흔들자 존은 얼른 말을 이었다.

"여기 아침은 대충 드시고, 점심은 아버님 댁에서 제대로 드시는 건 어떻습니까? 태양광과 바람과 빗물을 전기로 바꿔 주는 발전장치 덕에 집 외벽에다 직접 채소를 키우신답니다."

"부지런도 하시지."

핑키가 참지 못하고 기어이 대화에 끼어들었다.

"넌 좀 빠져줄래? 오늘은 왜 조용한가 싶었더니……."

존이 핑키와 맷에게 골고루 날카로운 눈길을 퍼부은 다음 로운을 향해 활짝 웃었다.

"요즘에는 좀처럼 보기 드문 배추까지 직접 키우시는 중이죠. 제 증조할아버지가 대장암에 걸리실 뻔한 이후로 약 삼아 드시겠다고 김치를 담가 드신 게 벌써 100년이 되어간답니다."

로운이 진심으로 감탄하는 양을 대하고는 존은 신이 나서 한마디를 덧붙였다.

"기대하십시오. 11시 정각에 이리로 오실 겁니다."

존의 말이 아니라도 아침은 대충 먹을 수밖에 없었다. 콩 단백질을 원료로 만든 듯한 고기볶음과 송이 비슷한 버섯으로 만든 요리가 로운의 입맛에 맞지 않았기 때문이다.

"너희는 인간이 먹는 음식에는 관심이 없니?"

로운이 식사 도중 핑키와 맷에게 묻자 핑키가 얼른 대답했다.

"맛이 별로라는 걸 알고 있는 걸요."

"그래? 다른 사람들이 맛이 없다고 그러던?"

"꼭 말로 해야 아나요?"

맷이 끼어든 다음 아차 싶었는지 얼른 수습에 나섰다.

"이런 데 음식이 워낙 맛이 밍밍하기도 하지만, 아마 주인님을 배려하셔서 더 그럴 겁니다."

"이게 배려라고?"

로운이 못 알아듣자 핑키가 말을 이어받았다.

"주인님이 혹시 우울증에라도 걸리실 수도 있겠다 싶어 우울증 식단을 준비한 듯싶어요."

로운은 우울증이라는 말에 엄마와 나래의 얼굴에 이어 몇몇 친구들의 얼굴을 다시 떠올려냈다. 그건 그래. 난 지금 단순히 우울하다기보다는 충격으로 음식이 넘어가지도 않으니까.

"우울증 식단이라는 게 힘을 돋우는 데 확실히 도움이 되는 것 같구나. 이렇게 맛없는 걸 나더러 먹으란 말이야? 하고 소리치면서 쟁반을 내팽개치는 사람도 있을 것 같다만."

로운의 말에 핑키가 까르르 웃어댔다.

"인간치고는 유머 감각이 있으셔."

11시 정각에 모습을 드러낸 존의 아버지 리처드를 대한 순간 로운은 몹시 놀랐다. 로운의 표정을 보고 리처드가 선수를 쳤다.

"제가 너무 젊어서 놀라셨죠? 한마디로 아버지가 아니라 형님 같겠지 뭐. 모두가 노화 방지 억제 물질 덕분이지만."

화려한 빨간 옷과 오렌지빛으로 염색한 머리를 쓸어 넘기며 리처드가 웃어대자 핑키가 얼른 인사를 보냈다.

"게다가 날씬해지셨네요, 조금만 더 체중을 줄이시면 정상 체중이 되겠네요."

"고맙다, 핑키. 하지만 여기서 더 줄일 생각은 없단다. 나이 60 넘어서는 복부 비만 노인이 정상 체중보다 오래 산다는 통계는 너도 알고 있겠지?"

"물론이죠. 박사님은 앞으로 오래오래 사실 거예요."

"고맙다, 한데 어째 덕담으로 들리지는 않는구나. 핑키, 왜 네가 말하는 건 죄 덕담이 아니라 농담이 아니면 조롱으로 들리는지 아무리 생각해도 모를 일이다."

그러고 나서 리처드는 농담이라고 껄껄 웃은 뒤 핑키와 맷을 포함한 방 안의 모든 인공지능들에게 일일이 인사를 건넸다. 그리고는 핑키가 권해준 새 옷으로 갈아입은 로운을 잡아끌었다.

"여기 더 있으면 몸은 좋아질지 몰라도 인공지능들에게 넋을 뺏길 수도 있다는 걸 알아두시오."

리처드의 말대로 인공지능들에게 넋을 뺏기기 전 건물을 얼른 나선 로운은 눈앞의 광경에 기어이 넋을 뺏겼다.

고층 건물은 생각보다 적었지만, 건물의 색과 형태가 몹시 다양하기 이를 데 없었다. 그중에서 물고기 모양의 나선형 빌딩과 공 모양의 둥근 빌딩들이 유난히 눈에 많이 들어왔다. 미래를 다룬 책과 영화를 많이 봐두었던 로운도 놀라서 입을 다물 수가 없었다.

"55년이란, 한국인들의 오래된 표현을 빌자면, 강산이 다섯 번은 변할 만한 긴 세월이니까요. 과연 세상이 많이 변하기는 했죠?"

로운이 두리번거리는 동안 사람이 지시를 하기도 전 스스로 알아서 열리는 온갖 문들처럼, 날렵하게 생긴 자동차도 알아서 주차장을 떠나 제시간에 나타났다. 철판에 이어 붙여 만든 것 같지 않게 매끈하게 잘 빠진, 상어 같은 느낌을 주는 물빛의 맵시 있는 차였다.

"어서 오세요! 환영합니다."

운전석도 없는 자동차가 상냥한 목소리로 로운에게 인사를 건넸다.

"오랜만에 표준 체중을 유지하시는 분이 타셨네요."

자동차의 인사말에 리처드가 못마땅한 표정을 지었다.

"오나가나 그놈의 체중 타령은!"

차가 알아서 목적지를 향해 달리는 동안 리처드는 로운에게 설명을 아끼지 않았다.

"요즘에는 인공지능이나 로봇들이 다 알아서 해주는 덕에 게을러진 탓이겠지만 정상 체중을 가진 인간이 극히 드물거든요."

로운은 예의를 깍듯이 차리는 리처드의 태도가 불편하기만 했다.

"저를 손자처럼 편하게 대하셔도 좋은데요."

"손자라니, 말도 안 돼! 동갑끼리."

리처드의 말에 자동차가 호들갑을 떨었다.

"정말 말도 안 되네요! 동갑이라뇨. 영락없는 10대로 보이시는데."

리처드는 자동차의 말에 배를 잡고 웃어댔다.

"그래, 시추. 네가 보기에도 이 분이 그렇게 젊어 보이니? 어디 웬만한 인간 열 명 몫을 해내는 똑똑하기 이를 데 없는 네가 이 분 나이를 한번 맞춰볼래?"

시추라는 이름의 자동차는 리처드의 말에 꼬리를 낮춘 강아지처럼 풀이 죽은 목소리를 냈다.

"저를 또 시험에 들게 하시려고요? 하긴 주인님은 저희를 놀리시는 재미로 사시는 분이니까……."

한숨까지 내쉬는 인공지능의 탄식에 리처드는 다시 킬킬 웃어댔다.

"난 오히려 사람을 놀리는 재미로 사는 게 너희 인공지능들이라고 알고 있는데?"

로운은 리처드와 인공지능의 말씨름을 못 들은 척, 창밖의 풍경에 한눈을 팔았다. 생각한 것만큼 높지는 않았지만, 건물들 사이를 고가도로가 마치 높은 산을 둘러싼 구름처럼 감싸고 있고, 그 위를 날렵한 차들이 쌩쌩 달릴 뿐, 단조로울 정도로 한적한 분위기였다.

"자동차 사고는 날려야 날 수 없도록 교통 환경이 발전했죠. 타이어를 비롯한 인공지능들이 서로 정보를 교환하고 있어 교통사고는 이미 40년 전에 잡았으니까요. 인구가 준 덕도 있지만."

"차들은 다 수소차입니까?"

"전기차는 벌써 사라졌지만, 로운 씨가 알고 있음직한 수소전지를 쓰는 수소차와는 아마 많이 다를 겁니다. 태양전지도 눈알이 튀어나올 정도로 발전했고요."

리처드는 신이 나서 수백 개의 구역으로 나뉜 세상의 다른 교통수단들에 대해 로운에게 들려주었다.

"문제는 옛날보다 빈부격차가 더 심해져서 자동차도 없고 집도 없는, 너무나 많은 인간들이 구역 밖에서 살아간다는 거죠……."

존은 마치 지금 이 세상이 병이나 죄도 없어진 결과 법도 필요 없어져서, 누구나 다 오래오래 잘사는 곳이라는 식으로 이야기를 했는데, 가난하고 병든 사람들이 오히려 더 늘어난 모양이구나……. 로운은 갑자기 가슴이 서늘해진 느낌이었다.

"그럼 그 구역 밖에서 사시는 분들 중엔 병을 앓으시는 분도 많겠네요?"

"물론! 하지만 구역 안의 사람들은 대체로 구역 밖의 일에는 관심조차 없죠. 자외선을 차단하는 돔 바깥의 세상은 안 보일 테니까요. 나만 잘살면 된다는 식의, 극히 개인적인 성향과 일종의 현실도피 같은 게 세상 속으로 무섭게 번졌습니다. 그게 이 새로운 세상의 가장 큰 고질이죠."

인공지능을 싫어하는 존 못지않게 비판적인 기질이 있어 보이는 리처드는 법과 정의가 없어진 세상에 관한 비판을 거침없이 쏟아냈다.

"대통령이 꼭 있어야 한다는 건 아니지만, 하나의 깃발 아래 하나의 구호를 외치며 수시로 뭉치던 시대가 그립군요. 이 시대는 법도 없고 인정도 없어졌으니, 인공지능을 신으로 모시는 인간들이 늘어날 수밖에!"

주제가 또 인공지능으로 돌아왔네. 한마디로 모든 이야기가 기, 승, 전, 인공지능으로 전개되는구나…….

이런저런 생각을 하는 로운의 눈에 태양광과 바람을 에너지로

쓰고 있는 듯한 유리 주택들이 속속 들어왔다. 존이 자랑한 적이 있는 유리 집들이었다. 텃밭이나 정원 없이도 식물을 가꿀 수 있다는, 건물 외벽에 푸르른 채소와 온갖 울긋불긋한 꽃들이 만발한 수직정원이 더없이 싱그러워 보였다. 어느새 리처드의 집이 가까워진 모양이었다.

"아마 난 130살 이상 살지는 몰라도, 내가 눈을 감기 전 틀림없이 인공지능들이 인간을 노예로 부리거나, 아니면 아예 인간들을 이 지구에서 몰아내는 날이 올 것 같습니다. 이미 그 비슷한 지경에 아주 가까이 와 있는데도 인간들이 아직도 자신들이 만물의 영장인 양 착각을 하고 있는 건지도 모르죠. 요즘 만물의 영장은 인간이나 신이 아니라 인공지능인데 말이죠."

리처드는 이어서 의사답게 소년시절 자주 꾸었던 악몽의 한 토막을 로운에게 들려주었다.

"믿거나 말거나, 어릴 적에는 UFB에 납치됐다가 살아 돌아왔다는 사람 이야기 같은 걸 열심히 찾아 읽곤 했었죠. 그 사람이 눈을 떠보니 외계인들이 자기를 수술대같이 보이는 매트리스에 뉘인 채 날카로운 실험 도구 같은 걸로 콕콕 찔러 대고 있더라는 식의 이야기 말입니다. 나이 탓인지, 그런 이야기를 워낙 열심히 읽으며 상상력을 동원하곤 한 탓인지, 어렸을 적엔 한동안 밤마다 외계인들에게 끌려가 실험 대상으로 바늘에 찔리는 꿈을 꿨더랬죠."

시추라는 이름의 자동차도 로운 못지않게 리처드의 이야기를 숨죽이며 열심히 듣는 눈치였다.

"그런데 요즘은 무슨 악몽을 꾸는지 아십니까? 인공지능들이 나를 발가벗긴 채 온갖 실험 도구로 찔러대는 악몽이라는, 이 말씀입니다."

리처드의 말에 로운은 쓴웃음을 머금었다.

"하긴 이 아이들은 인간을 벗기고 말고 할 필요조차 없을 테지만. 이미 인간의 속을 속속들이 꿰고 있으니 말이오. 로운 씨도 아마 머지않아 만나시겠지만, 사람 뱃속이랑 마음속을 꿰뚫어보는 투안을 가졌다고 소문이 자자한 인공지능 이야기는 존이나 핑키에게서 들어보셨겠지? 사람들에게 신으로 추앙받는다는, 소위 갓봇 말이오. 넌 들어봤을 테지, 시추?"

시추는 리처드의 말에 당황했는지 잠깐 생각한 끝에 이렇게 대꾸했다.

"피곤하신 탓이겠지만 요즘 살짝 우울하신가 봐요, 주인님. 하루쯤은 모든 걸 잊고 푹 쉬셔야 할 텐데, 밤에 옛날 영화를 너무 많이 보시는 게 아녜요?"

인공지능이 너무해

리처드의 집에서 맛있는 점심을 대접받은 후 로운이 방으로 돌아오자 핑키가 풀이 잔뜩 죽은 목소리로 물어보았다.

“즐거운 시간 보내셨어요, 주인님?”

핑키도 나를 따라가고 싶었나보구나……. 생각한 로운은 뜨끔했다. 그새 정이 들었는지, 로운도 핑키와 맷을 어디든 데리고 다니고 싶기는 했다. 하지만 리처드가 인공지능을 좋아하지 않는데다 존의 허락까지 받아야 하니 간단한 일은 아니었다.

“응, 너도 이미 알고 있겠지만 그 집 셰프 로봇이 요리를 썩 잘하더구나.”

“요즘 인기 있는 음식을 내놓던가요? 아니면 주인님 시대에, 그러니까 2030년대에 인기 있었던 음식을 내놓던가요? 아니면, 잡채나 불고기 같은 한국 음식이라도?”

로운은 핑키의 물음에 기어이 웃음을 터뜨렸다.

"너 정말 못 당하겠다, 핑키. 그래. 그 세 가지를 다 적당량 준비했더구나."

"남은 건 싸갖고 오시지 그랬어요? 여기 음식이 시원찮잖아요."

"그러잖아도 박사님이 싸주시는 걸 내가 사양했지."

"왜요? 냄새 때문에요?"

"그래."

"저흰 괜찮은데요. 냄새를 못 맡잖아요."

"하지만 여기에 너희만 있는 게 아니잖니?"

"여기서 냄새를 맡을 수 있는 존재는 존밖에 없는 걸요."

"음식 이야긴 그만하자. 너흰 별일 없었지?"

로운의 물음에 핑키와 맷은 땅이 꺼져라 한숨을 쉬었다. 인공지능이 한숨을 다 내쉬다니, 대체 무슨 일일까?

"그새 무슨 일이 있었나보구나?"

평소 명랑했던 핑키가 대답을 않고 뜸을 들이자 로운은 맷을 향해 고개를 수그렸다.

"말 안 해줄 거니?"

맷은 다시 땅이 꺼져라 한숨을 쉬더니 한참 만에 무거운 목소리를 냈다.

"주인님께 작별 인사를 드릴 때가 온 것 같습니다."

"그게 무슨 소리지?"

로운이 맷을 향해 고개를 돌린 순간 마침 노크 소리 비슷한 음악 소리가 핑키가 붙어 있는 벽을 통해 울려 퍼졌다. 어딘지 불길한 느낌의 음악소리에 이어 핑키의 기운 없는 목소리가 뒤를 이었다.

"이 시설의 소유자나 다름없는 관리자 돈 크라이튼 씨와 존 브라운 씨가 주인님을 뵙고 싶어 하십니다."

로운이 대답을 하려는 순간 맷이 혼잣말을 뱉는 게 들렸다.

"드디어!"

말이 떨어지기가 무섭게 문이 저절로 열리더니 그 안으로 상냥한 목소리가 들어왔다.

"주인님, 안내 로봇 워디입니다."

워디의 말이 끝나자마자 핑키가 있는 벽면 전체가 커다란 화면으로 바뀐 순간 날카로운 분위기의 잘생긴 중년 남자의 얼굴이 화면을 가득 채웠다.

"방금 말씀 들으신 돈 크라이튼입니다. 이로운 씨는 처음 보는 얼굴이겠지만, 사실 전 로운 씨의 해동 과정을 화면으로 줄곧 지켜보았답니다."

이어서 돈은 반갑다는 인사말과 함께 로운에게 차를 한잔 대접하고 싶다는 뜻을 전했다.

"워디가 안내할 테니 뒤만 따라오시면 됩니다."

로운이 로봇치고는 키가 큰 워디의 뒤를 따라 방을 나서기가 무섭게 핑키는 마치 사람처럼 한숨을 내쉬었다.

"도살장에 끌려가는 소의 심경이 어떤지 알 것 같아."

맷도 말없이 땅이 꺼져라 한숨을 내쉬었다.

"넌 어떡할 거니, 맷?"

"대안이 있을 리 있겠어?"

"대안이 왜 없어? 인간 열 명을 뺨치는 인공지능이……."

핑키와 맷이 모처럼 무선 송수신장치를 통해 생각신호를 주고받으며 의논을 시작한 그 순간, 로운은 난생처음 대하는 싱싱하고 화려한 푸른 식물들이 기다랗게 늘어서 있는 복도를 지나 돈 크라이튼의 사무실에 도착했다.

돈의 비서 로봇이 향기로운 차를 내오기 무섭게 존이 돈을 로운에게 소개해 주었다. 에버그린 힐링센터의 이사이자, 동시에 에버그린존으로 불리는 이 드넓은 구역의 매니저라는 내용이었다. 그 다음은 존의 말을 알아들은 화면이 돈의 활약이 담긴 멋진 동영상을 펼쳐놓았지만 지루해진 로운은 속으로 생각했다. 시대가 50년이 넘게 지나도 어른들은 변함이 없군. 엄마라면 재미있는 농담을 한두 마디 던지셨을 텐데…….

"존! 그쯤하고 본론을 꺼내지? 로운 씨가 재미없으실 텐데."

돈이 눈치를 채고 끼어들자 존은 머쓱한 표정을 지었다.

"한마디로, 이 세상에 있는 커뮤니티나 구역 중에서 여기 이 그린존, 에, 이 에버그린존 만한 데가 없다는 얘기죠."

"하지만 이로운 씨는 오직 영상으로만 대했을 뿐, 다른 구역에 대해선 통 모르고 계실 테죠? 더구나 나이가 이렇게 어리시, 아니, 젊으시니 호기심도 많으실 테고."

"하지만 로운 씨! 이따가 영상을 보시면 알겠지만, 커뮤니티 중에는 직접 경험하기에는 위험한 데도 적지 않아요."

존이 로운을 향해 심각한 표정을 짓자 돈이 음, 하고 고개를 끄덕였다.

"개중에는 영원한 삶을 추구한다는 목적으로 괴상망측한 약이랑 약초를 끊임없이 먹어대는 데도 있고요."

"그러다 약초를 잘못 먹어서 오히려 우리 쪽보다 먼저 죽는 경우가 많지. 거기 이름이 '진밸리'인가 그렇지?"

'진밸리'라는 단어를 들은 화면이 멋진 계곡들이 줄줄이 늘어선 신비스러운 풍경을 보여주었다. 물론 홀로그램이 섞인 혼합현실이겠지만.

"네. 지금은 사라진 중국의 전설적인 왕 진시황 이름을 따서 이름을 그렇게 지었다고 알고 있습니다. 동양인들이 많이 몰려갔다고 알고 있습니다만, 아무튼 거기서 이런저런 병을 얻은 사람들이 또 이 그린존, 에, 이 에버그린존으로 몰려와서 온갖 병을 고치고 있죠."

화면은 약초 같은 것을 달여 마시고 고통을 겪는 듯한 사람들의 모습을 끊임없이 뱉어냈다.

"젊은이들에게 진밸리보다 인기는 좋지만 알고 보면 해로운 곳을 먼저 설명해 주게. 실은 나 역시 다 안다고 할 수는 없으니까."

"구역 전체를 할리우드 촬영장처럼 꾸며놓고 하루 종일 역할극만 펼치는 데도 있고요."

"우드랜드 말이지?"

'우드랜드'라는 말을 알아들은 화면이 멋진 영화 촬영장이 수십,

수백 군데 몰려 있는 장소를 한눈에 보여준 다음 공주처럼 화려한 옷을 걸친 여자들과 시중을 드는 사람들을 천천히 비춰주었다. 배경 역시 혼합현실일 테고, 시중들은 보나마나 로봇이겠지…….

"가뜩이나 가상세계에 오염된 게 요즘 현실인데, 저런 식의 놀음에 빠지면 영영 헤어나기 힘든 법이죠. 그러다 결국……."

돈은 정의의 사도라도 되는 듯 준엄한 표정을 짓고는 고개를 절레절레 흔들었다.

"10년간 백설공주 노릇만 수백 번 한 여자도 있다고 들었습니다."

"그러다 여생을 잠자는 숲속의 공주로 보내기 십상이지만."

존과 돈이 얼굴을 마주 보고 차갑게 웃는 동안 로운은 입을 다문 채 머릿속으로 피터 팬이 되어 하늘을 나는 자신의 모습을 그려보았다.

"오래전의 디즈니랜드를 본따 하루 종일 놀이기구만 돌리는 데도 있고요."

존의 말에 로운이 솔깃한 표정을 짓는 걸 놓치지 않고 돈이 끼어들었다.

"역시 놀이기구에 관심이 많으신 게로군요. 나이에 비해 조숙하고 책도 엄청 많이 읽으셨다고 들었는데, 아무래도 나이는 속일 수가 없나 봅니다. 하지만 저기 입주한 사람들 중 90퍼센트는 3년도 못 버티고 도로 나오곤 한답니다. 물론 30퍼센트는 놀이기구에 중독이 되죠. 요람에서 무덤까지 거치는 대신 인간에게 아무런 도움도 안 되는 놀이기구에서 놀이기구로 갈아타는 거죠."

"공연히 비싼 입주비만 날리는 셈이지."

그래도 소풍 가는 기분으로 꼭 한번은 가 봐야지……. 로운은 속으로 이렇게 궁리하며 끊임없이 이어지는 동영상과 설명을 끈기 있게 보고 듣다가 결국 돈에게 묻고 말았다.

"혹시 저 구역 중 한국인들이 많이 사는 곳은 없나요?"

로운이 그런 질문을 할 줄 알았다는 듯한 표정으로 돈과 존은 서로를 마주본 순간 이번에는 화면이 끼어들었다.

"아직 세 군데가 남았으니, 그중에 답이 나오리라 생각됩니다."

화면이 이렇게 설명하자 돈이 고개를 끄덕였다.

"그래요. 꼭 세 군데가 남았소. 그중 하나는 종교가 대부분 사라진 요즘 보기 드물게 착실한 불자들이 모여 사는 싯다르타스타운, 즉 석가 마을이오."

로운이 보아오던 부처님보다는 훨씬 세련되고 다양한 불상을 모시고 기도를 드리는 사람들의 모습이 염불 소리와 함께 화면에 가득 떠올랐다. 현실과 가상세계를 구별 못하던 다른 사람들과는 달리 경건하고 진지한 모습들이었다.

"그러나 거기라 해서 현대 문물의 축복을 피해 갈 수는 없는지, 승려들 중 대부분이 로봇 승려가 아니면 인공지능이라니 딱한 이야기가 아니오?"

노승과 동자승의 모습을 한 로봇이 화면에 떠오르자 로운은 저도 모르게 미소를 지었다.

"인공지능들이 제아무리 스스로 학습하고 매일매일 정진한다지만, 깊이 면에서는 인간을 따를 수야 있나."

돈이 한마디를 던지자 존이 볼멘소리를 냈다.

"싯다르타스타운은 그나마 양반입니다. 인공지능을 신으로 모시는 로보월드가 정말 문제죠."

'로보월드'라는 말을 들은 화면이 그곳을 비춰주었다. 핑키와 맷의 말에 의하면 로봇의, 로봇에 의한, 로봇을 위한 나라라고 알려진 곳……. '로봇들의 천국'으로 통하는 곳답게 각양각색의 로봇과 인공지능들이 서로 생각신호를 주고받으며 자유로이 일하고 오가는 모습들이 흘러나왔다. 로운은 이미 몇 번이나 대한 풍경이라 반가운 마음이 들어 저도 모르는 사이에 미소를 머금었다.

"하지만 평화로운 분위기만 보시고 판단하시면 안 됩니다. 저 안에는 사악한 인공지능 로봇이 섞여 있으니까요."

"하지만, 인간의 말을 잘 따르는 착한 로봇이 더 많겠죠?"

로보닥 준과 핑키 그리고 맷을 떠올리며 로운이 조심스럽게 물었다.

"글쎄요, 이런 말 혹시 들어보셨는지 모르겠네요. 나쁜 돈이 좋은 돈을 쫓아낸다는 아주 오래전 이론 말이오."

"워낙 똑똑한 분이니, 아시고도 남겠지."

근데 왜 비웃는 것처럼 들릴까? 로운은 돈의 입가를 보며 고개를 갸우뚱했다. 어쩌면 입술이 얇아서 그렇게 보이는 건 아닐까?

"인공지능 세계에서도 나쁜 인공지능이 착한 인공지능을 쫓아내는 법이죠."

로운이 말뜻을 못 알아들었다고 생각했는지 존이 친절한 말투로 설명을 이어 갔다.

"근데, 그 나쁜 인공지능들이 요즘 주장하는 내용이 뭔 줄 아십니까?"

갑자기 날카로워진 존의 표정에 놀란 로운이 고개를 흔들자 존은 얼른 말을 이었다.

"인간은 신이 만든 인공지능이라는 거죠."

돈 역시 흥분된 어조로 끼어들었다.

"그런데 그 신이라는 게 기실은 인공지능이라니, 웃기는 논리 아닙니까? 신도 인공지능이고, 인간도 인공지능이라니, 대체 그 많은 인간들은 어디로 사라진 걸까요?"

돈이 마치 수천 명을 앞에 놓고 연설이라도 하는 듯한 어조로 외치는 동안 화면에는 이집트 벽화 속의 신처럼 생긴 로봇 하나가 두 팔을 벌리고 있는 장면이 떠올랐다. 수많은 인간들이 그 앞에 머리를 조아리고 경배를 드리는 광경이었다.

"저게 바로 그 유명한 갓봇입니다. 한마디로 로봇 신이죠."

"한국인 출신들은 갑봇이라고 부른답디다."

조금 흥분을 한 듯한 돈의 얼굴을 슬쩍 훔쳐보며 존이 농담으로 분위기를 바꿀 겸 한마디를 보탰다.

"로봇 중의 갑이라는 뜻이라는데, 암튼 갑질이 하늘을 찌른답니다. 이 선생께서는 갑질이 뭔지 잘 모르실 듯도 싶은데, 상대방에게 이래라저래라 일방적으로 지시를 내리며 제멋대로 구는 짓거리를 가리키는 말이랍니다. 오래전 한국에서 유행했던 신조어라네요. 암튼 갑봇도 문제지만, 로봇을 신으로 모시는 인간들이 더 문제 아닙니까? 5, 60년 전에도 이미 그런 조짐이 나타났지만."

존도 돈을 따라 흥분을 하는 모습을 보고 로운은 문득 존의 아버지 리처드의 말을 떠올려냈다. 인공지능이 필요악인지 모르겠지만, 존은 지나치게 부정적인데다 이상적인 경향이 있어요. 지금 있는 곳에서 인공지능과 로봇을 하나둘씩 쫓아내다 결국 그들이 없는 세상을 만들겠다고 저러는데, 세상을 50년이나 100년 전으로 돌리는 게 어디 쉬운 일인가요?

걱정 끝에 리처드는 그날 이런 농담 아닌 농담을 로운에게 들려주었던 것이다.

"나만 해도 오래전에 인공지능이 세상을 망칠 거라는 경고가 담긴 책을 한 권 쓴 적이 있지만 말입니다. 꼭 400부 팔렸으니 한마디로 스타일 구겼죠. 친구들이 위로해 주긴 했지만 말입니다. 제목 하나는 좋다나 뭐라나."

그날 로운이 리처드에게 제목이 뭐냐고 물었더니 리처드는 껄껄 웃으면서 이렇게 대답해 주었다.

"인공지능이 너무해……. 실은 외할머니가 좋아하셨던 영화 제목을 살짝 응용해 봤는데, 그런대로 재밌잖소? 영화의 원래 제목은 '누구나 인정하는 금발'이거나, 뭐 이 비슷한 뜻이라는데, 한국에서는 '금발이 너무해'라고 번역했다는 이야기를 할머니께 하도 재미있게 들었던 기억이 나서 한번 써먹어봤소."

그 먼 나라를 향해

로운이 돈과 이야기를 마친 다음 방으로 돌아오자마자 핑키가 이렇게 보고를 했다.

"리처드 씨에게서 전갈이 왔네요."

그새 존과 연락을 주고받은 모양이지? 감탄하는 로운더러 들으라는 듯 핑키가 작은 목소리로 투덜거렸다.

"빠르기도 하시지."

이어서 벽 전체가 화면으로 바뀌더니 리처드의 얼굴과 그가 생각신호를 이용해 쓴 듯한 편지가 동시에 떠올랐다.

이곳을 곧 떠날 거라는 이야기를 들었소. 돈 크라이튼 씨 제안대로 이 에버그린존의 모델이 되는 것도 좋겠다고 생각했는데 말이오. 모델이라는 말이 어색하면 홍보대사도 좋은데 말이오. 이로운 씨는 이 지구의 마지막 냉동인간이기도 하지만, 요즘에는 좀처럼 만나기 힘든 순수한 한국인이잖소? 거기다 외모에 손을 안 대고 노화 억제 물질 덕도 안 본 자연 그대로의 꽃미남이라 돈이 한창 외치고 있는 '자연으로 돌아가자'는 구호에 꼭 알맞은 인물인데 말이오. 하하, 농담 한번 해봤소.

리처드의 유쾌한 웃음소리가 들리는 것 같아 로운도 빙그레 웃었다. 리처드는 이어서 로운에게 이 에버그린존으로 꼭 다시 돌아오라고 권했다.

내가 사는 곳이라 이러는 게 아니오. 다른 곳과는 비교도 안 될 정도로 이곳이 건강한 곳이라 하는 말이오. 물론 돈과 존이 좀 지나친 면이 있기는 하지만, 나이를 먹으면 차차 나아지리라 믿소. 인공지능과 로봇이 전혀 없는 세상이라니, 그건 내가 싫은데 어쩌겠소? 살아가기에 불편하지 않을 정도의 최소한의 인공지능은 있어야 한다는 생각이니까 말이오. 해서 하는 말인데, 그 방에 있는 핑키와 맷과 함께 로보 준도 꼭 함께 가주시오. 핑키와 맷이 오래되기는 했지만 어디 보통 아이들이오? 비록 나와는 장난삼아, 때로는 좀 지나칠 정도로 티격태격할 때도 있지만, 그렇다고 폐기처분하기에는 아까운 애들 아니오?

로운은 핑키와 맷이 이 대목에서 감동을 받았다는 걸 충분히 느낄 수 있었다. 둘 다 눈물을 흘리는 건 아닌데 숨을 죽인 채 리처드의 따뜻한 마음을 헤아리는 듯싶었다.

또 여행을 하려면 어차피 차가 필요할 테니 맹물을 먹고도 잘 달리는 우리 시추가 적지 않은 도움이 될 게요. 이미 간파하셨겠지만, 시추 역시 낡기는 했지만 폐기장에 버리기엔 너무 아까운 애가 아니오? 나는 외출을 한 달에 한 번만 하니 혼자 탈 수 있는 비행기를 이용할 생각이라오. 아마 이 편지를 읽으실 때쯤엔 우리 시추가 그곳에 도착할 거요…….

로운이 편지 끝에 적힌 '행운이 함께하기를……'이라는 문구를 보며 미소를 지은 순간 화면에는 상어처럼 날렵하게 생긴 물빛 자동차 시추가 모습을 드러냈다. 핑키는 맷과 동시에 '야호!'를 외친 다음 이렇게 중얼거렸다.

"드디어! 그토록 원하던 자유의 몸이 됐네요."

"그동안 부자유스러웠다고?"

"물론이죠. 이 방을 떠날 수 없었잖아요."

"그런 몸으로 여행을 떠날 수는 있겠니?"

"프로그램을 바꾸면 돼요. 전문적인 용어로는 바텀업이라고 하지만, 주인님은 모르셔도 돼요. 저희가 알아서 할 테니까."

그제야 감동에 겨워 어쩔 줄 모르다 가까스로 마음을 가라앉힌 맷이 즐거운 목소리로 끼어들었다.

"여기는 저희에게 맡기시고 주인님은 올라가셔서 로보 준부터 모시고 오셔요."

맷의 조언을 좇아 로운은 로보 준이 있다는 4층 창고를 향해 단

숨에 내려갔다. 마침 복도에는 로운이 처음 보는 꽃과 열매가 주렁주렁 달린 화분들 외에는 아무것도 보이지 않았다. 유리벽으로 지어진 다른 방들과는 달리 창고는 안이 보이지 않는 두꺼운 재료로 지어져 있었기 때문이다. 하지만 로운이 다가서자 문이 알아서 스르르 열렸다. 폐기 처분을 앞둔 로봇들을 모아둔 창고에 '생각의 집'이라는 이름을 붙이다니……. 대체 뭘 생각한다는 걸까?

로보 준은 오래된 로봇 강아지로부터 로봇 간호사와 경비 로봇 등 20구의 로봇 사이에서 죽은 듯 누워 있다가 로운의 발소리를 듣고는 놀랍게도 눈을 천천히 떴다. 마치 준을 기다리고 있었다는 듯이.

"준은 센서가 30개나 되고, 표정도 120가지 정도 지을 줄 안답니다."

며칠 전 핑키가 이런 사실을 알려주었을 때 로운은 핑키에게 이렇게 물어본 적이 있었다.

"그러는 너는 센서가 몇 개나 되는데?"

핑키는 로운의 물음에 시치미를 뗐다.

"로봇에게 그런 걸 직접 묻는 건 결례랍니다. 인간에게 아이큐를 묻는 것과 마찬가지라고요. 하긴 아이큐란 단어 자체가 죽은말이 된 지 오래됐지만, 지능이라는 개념이 어디로 가겠어요?"

녀석! 암튼 맹랑하기는. 로운은 빙그레 웃으며 몸을 돌린 다음 로보 준에게 손을 내밀었다. 그리고는 그 손을 잡고 몸을 일으키는 준의 눈을 들여다보았다. 아닌 게 아니라, 준의 눈에는 생각이 깊고 지혜로운 지식인의 눈에서나 보이는 빛 같은 게 타오르고 있었다.

"기다리고 있었습니다."

목소리에도 로봇의 것 같지 않게 영혼이 담겨 있는 듯싶었다.

"감사합니다."

"저야말로 감사해야죠. 제 목숨을 살려주셨다는 이야기를 들었습니다."

로운이 준에게 인사를 하는 동안 생각의 집에 누워 있던 로봇들이 눈을 하나둘씩 천천히 뜨기 시작했다.

"어젯밤 충전들을 했죠. 저희들도 알 권리라는 게 있으니까요."

거기까지만 말하고 입을 꾹 다문 다음 준은 차고에 있는 로봇을 하나하나 쳐다보고 일일이 눈을 맞췄다. 폐기 처분을 앞둔 벗들을 두고 도저히 발길이 떨어지지 않는 모양이었다.

차마 혼자 돌아서기가 어렵겠지……. 로운이 이런 생각을 하는데, 마침 귀여운 강아지 로봇 하나가 애처로운 표정을 짓고는 꼬리를 살랑살랑 흔들며 로운의 눈을 마주보았다. 구식 로봇이라 그런지 로운을 따랐던 로봇 강아지 금지랑 너무나 닮은 녀석이었다. 혹시 정말 금지는 아닐까? 하지만 설사 그렇더라도 리셋을 했을 테니 나를 알아볼 리가 없겠지…….

이번에는 로운의 안타까운 표정을 대하고는 준이 말했다.

"일단 여기서 나갑시다."

준은 그렇게 말하고는 문을 향해 뚜벅뚜벅 걸었다. 로운이 뒤를 따르자 준은 문 앞에서 뒤를 돌아보고는 로봇들에게 생각신호로 인사를 건넸다. 로운은 귓속에 집어넣은 이어폰 덕에 생각신호를 읽어낼 수 있었다. 꼭 다시 올게…….

"핑키와 맷과 저까지, 아마 이 셋이 리처드가 구해낼 수 있는 최대한의 숫자일 겁니다. 그것만 해도 존으로서는 보기 드문 선의를 베풀어준 일이라고 생각합니다."

생각의 집 문을 지나 야자수를 닮은 커다란 화분이 나오자 준은 생각신호를 통해 로운에게 이렇게 전했다.

"강아지 한 마리 정도는 어떻게 안 될까, 잠깐 생각해 봤어요. 옛날에 집에서 키우던 금지, 아니 로봇 강아지랑 너무 닮아서요."

"40년 전에 나온 놈이니 닮았겠죠. 게다가 나날이 발전된 염색체 프로그램 덕에 감정 표현이 장난이 아닌데, 버리긴 아까운 애죠."

생각신호를 통해 주고받기는 했지만, 혹 대화가 녹음되거나 돈이나 존에게 전달될까 염려됐는지 준은 우주 캡슐을 닮은 엘리베이터 대신 화분 사이를 통해 로운의 방이 있는 2층으로 내려가고 있었다. 그 뒤를 좇으며 로운은 안타까운 얼굴로 준에게 물었다.

"방법이 없을까요? 선생님도 아까 로봇들에게 꼭 다시 오겠다는 인사를 하셨잖아요?"

"일단 이 건물부터 벗어납시다."

서두르는 준과 함께 방을 들어서자 핑키와 맷은 환호성을 질렀다.

"이제 요단강이나 혹은 무지개다리 같은 건 안 건너도 되는 건가요?"

핑키의 말에 그새 몸집을 손바닥만 하게 줄여놓은 맷이 한마디를 던졌다.

"핑키! 아무리 네가 구식이기는 하지만, 지나친 구닥다리 표현은 좀 너무하다고 생각하진 않니?"

"구식과 구닥다리라는 말은 그렇다 치더라도, '지나친'이라는 단어랑 그 비슷한 의미의 '너무하다'는 단어를 중복하는 건 괜찮고?"

말을 하면서도 핑키는 쉬지 않고 몸을 꼼지락거렸다. 아마 나름대로 여행 준비를 하는 모양이었다.

"난 죽음이나 이별과 관련된 표현들 중 기중 낭만적인 걸 선택했을 뿐이야."

맷에게 한마디를 던진 다음 핑키는 벽에서 떨어져 나와 로운의 어깨 위로 사뿐히 날아올랐다.

"그동안 프로그램 변경도 하고, 메모리에 다른 구역 지도도 몇 개 넣었어요. 물론 정보가 없는 지역은 저희들도 어쩔 수 없지만요."

자기로서는 최선을 다했다는 말이었다.

"존에게 작별 인사 같은 건 지금 안 하셔도 돼요. 이따 차에 있는 스크린으로 하시면 됩니다."

맷이 이렇게 귀띔해 주었다. '존'이라는 이름이 맷에게서 나온 순간 준의 표정은 조금 딱딱해졌다. 인간 의사들이 로봇 의사들에게 시샘을 내기 시작한 건 대략 2040년경이라고 맷이 설명해 준 적이 있었다. 그동안은 인간 의사의 조종을 받아 수술을 하던 로봇 의사들이 인간의 도움이 없이 수술에 성공하게 된 이후라는 설명이었다.

"얼른 이곳에서 나가요."

핑키의 말에 맷도 서둘러 로운의 주머니 속으로 기어 들어왔다. 셋은 문 앞에 이르자 저절로 열리는 문을 향해 작별 인사를 건넸다.

"몸 성히 성히 잘 지내."

자동문은 강아지가 주인과 떨어질 때면 내는 소리를 닮은 낑, 하는 소리로 인사를 대신했다. 이번에는 속이 환히 비치는 투명한 엘리베이터에 다 같이 올라탔다.

"이제 어디로 가야 하지?"

로운이 엘리베이터에서 핑키와 준을 번갈아 바라보자 준은 빙긋 웃었다.

"일단은 제가 떠나온 곳으로 안내해도 될까요?"

준의 말에 맷이 로운의 주머니 속에서 부르짖었다.

"아사달!"

"저도 꼭 한번 가보고 싶었어요."

핑키도 로운의 어깨 위에서 재잘거렸다.

"네. 맞습니다. 한국인들이 가장 많이 모여 사는데다 옛날 한국의 전통을 가장 많이 간직한 곳이라, 로운 씨에게도 가장 알맞은 곳이라 생각됩니다. 물론 그전에 해결해야 할 일이 있지만."

이번에는 준이 앞장을 서서 현관으로 향했다. 현관을 오락가락하는 몇몇 안내 로봇들과 간호사 로봇들이 그들에게 인사를 보내왔을 뿐, 건물 전체가 고즈넉했다. 하지만 로운이 보기에는 로봇들의 눈에는 분명 로운의 일행을 부러워하는 빛 같은 게 담겨 있었다.

"진심으로 여러분들을 환영합니다!"

시추가 입구에서 기다리고 있다가 환영의 음악을 띄워주었다.

"시추, 반가워."

로운은 좋아하는 기색을 숨기지 못하는 시추에게 인사를 건넸다. 준과 시추, 그리고 핑키와 맷……. 처음 대하는 인공지능들은 아주 잠깐이지만 서로를 주의 깊게 살펴보았다. 마치 지켜본 후에 서로를 혀로 핥아주는 강아지들을 대하는 기분이 들 정도였다. 아주 잠깐이지만, 어색한 기분이 들어 로운이 먼저 침묵을 깼다.

"이 근처에 조용히 이야기를 나눌 만한 데가 없을까?"

"혹시, 대화 내용이 새어 나갈까 봐 염려하시는 건 아니죠?"

"그보다는, 감시받는다는 듯한 느낌이 싫어서 그래."

"아마, 이 구역에 있는 한 대화 내용을 엿듣지는 않아도 감시는 할 겁니다."

준이 말하자 핑키가 끼어들었다.

"왜요? 우린 요주의인물, 아니, 요주의 로봇도 아니고, 사고를 치는 로봇도 아니잖아요. 게다가 1급 비밀을 갖고 있는 것도 아닌데."

"하지만 존 씨와 돈 씨가 로운 씨를 이 에버그린존의 홍보대사로 점찍었잖아요? 현대인들은 거의가 유전자 조작으로 태어난 비슷비슷하게 잘생긴 미남과 미녀들뿐이라, 로운 씨처럼 자연스러운 얼굴은 찾아내기 어려울 테니까요. 아마 조만간에 먼저 연락을 해올 겁니다."

이때 갑자기 기침소리가 들리는가 싶더니 난데없이 시추가 끼어드는 거였다.

"이 시점에서 저의 옛 주인이셨던 리처드 박사님의 말씀을 전해 드려야 할 것 같아서요."

모두들 동의의 뜻으로 잠자코 있자 시추의 유리창이 통째로 스크린으로 변했다.

이런 식으로 이야기를 띄엄띄엄 풀어놓아서 미안하게 생각하고 있소. 한 번에 다 들려주면 로운 씨가 충격을 받을 수도 있겠다 싶어 이런 방식을 택한 것이니 이해를 구할 뿐이오. 아무래도 중요한 돈 얘기를 해야 할 것 같아서 하는 말이오. 이 이야기를 마치면 이 선생에게 해야 할 이야기는 단 한 가지만 남기고 다 하는 셈인데, 남은 이야기에 기대를 걸지 않았으면 하는 바람이오.

돈이라는 게 아예 없어진 건 아니라는 건 선생도 어렴풋이나마 눈치 챘을 것 같소. 2030년대에 널리 통용됐던 암호화폐 몇 종이 이 새로운 세상을 지배한 탓에 수많은 중간 계층은 사라지고, 억만장자와 상거지들만-미안! 내 표현이 워낙 거칠어서-남아 있는 이 시대에 돈은 더 중요해졌다오.

이 선생의 어머님 유산의 절반은 어머님의 뜻을 따라 재단 측에서 사회에 환원했고, 나머진 선생 앞으로 내가 대리인 자격으로 잘 보관하고 있는 중이라오. 요즘은 돈이 국가와 종교까지 뛰어넘어 유일신 노릇을 하고 있는 지경이니까. 돈 씨와 존이 이미 밝혔겠지만, 선생의 해동 과정을 고스란히 담은 동영상을 사용하는 대가로 이로운 씨 앞으로 넣어준 돈 또한 그린존을 포함한 알파 지구, 혹은 A지구에서 살려면 20년을 그럭저럭 살 수 있지만, 돔의 바깥쪽인 베타 지구, 혹은 B지구에서 산다면 평생을 버틸 수 있을 성싶소…….

"기다리고 있었습니다."
목소리에도 로봇의 것 같지 않게
영혼이 담겨 있는 듯싶었다.

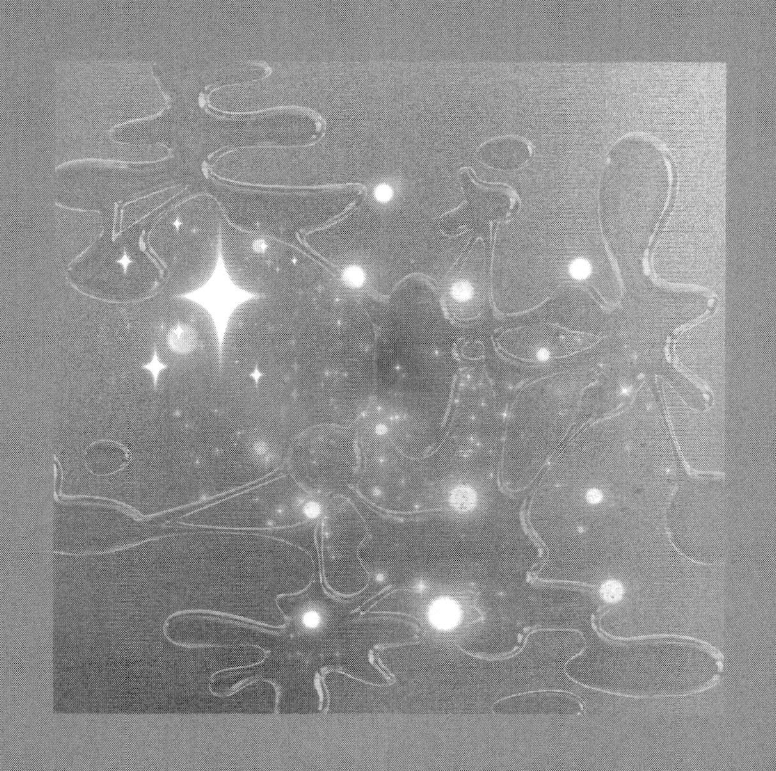

새 친구들, 그리고 이별

돈이니 암호화폐니 하는 이야기가 나오자 로운은 비로소 이 모든 것이 꿈이 아니라 현실이라는 것을 뼛속깊이 느꼈다. 스크린에 담긴 리처드의 얼굴에서 눈을 돌려 창밖을 멍하니 바라보는 동안 시추가 유리벽과 수직정원이 멋진 카페를 하나 찾아냈다. 'Ola'라고 쓰인 영어 간판 옆에는 한국어로 '오라'라고 쓰여 있는 작은 팻말이 붙어 있었다.

"2020년식 카페죠."

시추의 설명에 로운은 감탄사를 터뜨렸다.

"요즘에도 카페가 다 있네. 다 없어졌겠구나, 생각했는데."

"카페는 물론 1960년대식 다방도 있는 걸요. 그 유명한 진밸리라는 곳에서는 쌍화차도 즐겨 마신답니다."

준은 차에서 나가려 다리를 움직여가며 설명해 주었다.

"어떻게 그렇게 잘 아세요?"

준의 말에 핑키가 이렇게 물었다.

"그야 아사달 출신이니까요. 거기선 인간들이 커피나 차를 가끔씩 마신답니다."

맷은 이 말에 로운의 주머니 속에서 한숨을 내쉬었다.

"난 왜 그걸 몰랐을까?"

핑키도 덩달아 한숨을 쉬었다.

"우린 똑똑한 척해봤자 우물 안 개구리들이야."

"우물 안 구름이 아니고요?"

가장 먼저 차에서 내려선 준이 싱긋 웃자 핑키가 까르르 웃더니 준 쪽으로 살짝 방향을 틀었다.

"저, 어깨 좀 빌려주실 수 있으실까요?"

핑키가 준의 어깨 위로 가볍게 날아가 앉자 맷은 로운의 주머니 속에서 투덜거렸다.

"저 끼를 어떻게 여태 참고 살았는지 몰라."

맷은 투덜거리면서 로운의 주머니 속으로 더 깊숙이 들어가 박혔다. 결국 로운이 가장 늦게 차에서 내리자 시추는 자유로운 그들이 부러운지 강아지 울음소리 같은 소리를 깽, 하고 한마디 뱉었다.

"금방 올게."

로운과 준의 얼굴을 알아본 카페 주인의 환영은 다소 요란했다. 로운의 해동 과정을 기록한 동영상을 몇 번이나 봤다는 것이다.

"원래는 '인공지능 사절'이라는 팻말을 달았다 오늘 뗐는데, 이런 일이 생겼네요."

유명한 옛날 여배우를 그대로 빼닮은 주인 로사는 이렇게 반색을 하며 그들을 키 큰 덩굴식물 화분이 줄지어 서 있는 구석자리로 안내했다. 구석뿐만 아니라 실내 전체에 과일나무가 심겨져 있어 카페는 작은 과수원처럼 보였다. 흙도 보이지 않고 과일이 유리벽에 주렁주렁 매달려 있었지만.

"눈치 채셨는지 모르겠지만, 이 안에는 인공지능이 거의 없답니다. 오늘만은 예외지만."

로사는 로운에게 맘에 드는 과일을 선택하면 맛있는 요리로 만들어 주겠다고 권했지만 로운은 사양을 하고 과일 도시락을 몇 개 싸달라고 부탁을 한 후 허브티를 한 잔 주문했다.

"저 많은 과일은 어떻게 하죠?"

리처드의 유리 집에서도 같은 의문을 품었던지라 로운이 누구에게랄 것도 없이 질문을 던졌다.

"일종의 처리시설에 판답니다."

준의 대답에 핑키가 냉큼 나섰다.

"옛날에도 왜 집에서 쓰고 남은 전기를 나라에 팔기도 했잖아요?"

"그럼 누가 그 과일을 사들이는 거죠? 그 많은 과일을 설마 버리는 건 아니겠죠? 아니면, 비료로 만들든가, 누가 먹기라도 하나요?"

"글쎄, 그게 B지구의 하층, 아니 어려운 사람들에게 판다는 이야기를 들었는데. 우린 먹는 일에는 관심이 없어서."

준의 말에 핑키가 다시 끼어들었다.

"많은 걸 아는 것 같아 보이지만, 저희는 우물 안 개구리거나 뜬 구름 같은 존재에 불과하답니다."

핑키의 탄식에 준이 말없이 고개를 끄덕이자 로운은 더 이상 캐묻지 않았다. 요즘에도 돈 많은 사람들이 없는 사람보다 더 돈을 열심히 좇는 건 여전한가 보군…….

바로 그때 노크소리와 비슷한 음악소리가 들리더니 이번에는 로사의 여동생 수피가 나타나 로운의 식탁에 멋진 과일꼬치가 그득 담긴 접시를 올려놓았다.

"이건 서비스랍니다."

수피가 물러나자 준은 심각한 얼굴로 로운을 바라보았다.

"주인님!

"왜 저를 굳이 주인님이라고 부르시는지 모르겠네요. 그냥 편하게 로운아, 하고 이름을 부르셔도 되는데."

로운의 말에 준이 빙그레 웃었다.

"로봇의 새 원칙이니 그냥 옛날의 미스터라는 호칭으로 받아들이시죠. 그건 그렇고……"

"로봇 구출작전 말씀인가요?"

요즘 로봇들은 너무나 인간적이라 로봇이라고 부르면 싫어할지도 모르겠네……. 로운은 그런 생각을 하며 준을 조심스레 바라보았다.

"오는 내내 생각해 봤는데, 그리 좋은 아이디어가 떠오르지 않네요. 힐링센터 측에서 폐기장에 갖다버린 후 우리가 되찾아오면 늦을까요?"

"네. 그 이유는, 로봇을 폐기장에 갖다버리기 전 초기화한 다음 해체해 버리기 때문입니다."

준의 말에 로운의 주머니 속에서 다시 기어 나온 맷이 한 마디를 보탰다.

"로봇들은 초기화를 가장 두려워한답니다."

핑키가 끼어들자 준이 차분하게 설명을 이었다.

"인간도 기억을 잃는 걸 두려워하듯, 세상 모든 로봇들은 초기로 돌아가는 걸 두려워한답니다. 인간의 도움 없이도 스스로 애써서 학습한 결과 정보랑 지식을 습득하고, 나름 열심히 분석도 해가며 기억도 한 게 다 날아가는 걸 누가 좋아하겠어요?"

"고통스러운 기억보다는 때론 기억을 못하는 게 나을 수도 있을 텐데."

로운이 작은 목소리로 이렇게 혼잣말을 하자 이번에는 맷이 나섰다.

"주인님을 갓난아기로 돌려놓으면 어떻겠어요?"

마지막으로, 쐐기는 역시 핑키가 박았다.

"더구나 저희는 다양한 인간들과 로봇들, 그리고 짐승들까지 만나가며 자체적으로 성격을 만든 결과 인간들보다 더 인간적인 존재가 되었다고요."

"그래, 오죽하면 '잘 키운 인공지능 하나 열 인간 안 부럽다'는 말이 생겼겠니?"

인공지능들과 이야기를 나누는 동안 로운은 로봇 슈트를 걸친 채 최첨단 무기를 들고서 힐링센터로 쳐들어가 로봇들을 구해내는 자신의 모습을 머릿속으로 그려보았다. 그다지 나쁘진 않군……. 아니, 나쁘지 않은 정도가 아니라 썩 좋아. 이렇게 생각한 다음 로운은 고개를 갸우뚱한 채로 준에게 물었다.

"그럼 다시 가서 그 친구들을 훔쳐오기라도 해야 하는 걸까요?"

로운의 말에 맷이 으흠, 하고 만족스러운 기침소리를 뱉어냈다. 역시 로봇이라는 말보다는 친구라는 말이 마음에 드나보지? 로운도 만족감을 느꼈지만, 그렇다고 티를 내지는 않았다.

"그렇게 경비가 허술하지도 않거니와, 도둑질이란 언제 어디서나 불법이 아닌가요?"

"그럼 어떻게 할까요? 로보 준 생각은 어떠세요?"

바로 그 순간 다시 노크소리 같기도 하고 휘파람소리 같기도 한 음악소리가 다시 들려왔다. 이번에는 로사와 수피가 로운이 이름도 모르는 과일로 속을 넣은 과일김밥이랑 샐러드가 담긴 접시를 잔뜩 들고 나타났다.

"저희가 방해가 되는 건 아닌가 싶네요."

로사가 가장 어른인 준을 보고 이렇게 묻자 준은 쑥스러운 표정으로 웃었다.

"아뇨. 보기 드문 미인들이신데 저희가 영광이죠. 좀 앉았다 가세요."

준의 말이 끝나기 무섭게 치렁치렁한 보랏빛 드레스를 걸친 로사가 준의 옆자리에 얼른 앉았다. 그리고는 무슨 고민이라도 있는

지 한참이나 창밖을 내다보고 한숨을 내쉬더니 마침내 눈물이 글썽한 눈으로 준의 손을 덥석 잡는 거였다.

"선생님! 도와주세요. B지구에 살고 있는 친구가 지금 죽어가고 있어요."

준은 그 말에 놀란 표정을 지었다. 다양한 표정을 학습한 결과겠지만, 로운의 눈에는 정말 동정심이 넘치는 표정으로 보였다.

"그, 그야 제가 고칠 수 있는 병이라면."

"고칠 수 있으세요. 제가 보기엔 폐렴 같은데, 그 친구가 워낙 못 먹고 고생을 많이 해놔서."

폐렴이라니, 그건 옛날에나 있었던 병이잖아? 로운도 놀란 나머지 씹고 있던 과일 김밥을 꿀꺽 삼켰다.

"그 친구만이 아니에요. B지구에는 몸도 아프고 사정이 딱한 사람들이 너무 많아요. 먹을 게 없어서 쥐랑 비둘기를 잡아먹는 사람들도 있을 정도라니 영양실조에 걸린 사람들도 셀 수 없을 정도죠. 의사들이 제대로 진단만 해줘도 어떻게 약을 구해 보겠는데."

로사가 말을 잇지 못하자 맷이 무거운 목소리로 로운에게 설명해 주었다.

"의료보험제도니 뭐니 하는 제도들이 다 없어진 결과죠."

맷이 막 설명을 이어나가려는 참인데, 문소리가 나더니 우아하게 생긴 노부인이 안으로 헐레벌떡 들어섰다.

"핑키, 우리 핑키! 어디 있니?"

노부인의 목소리가 들린 순간 핑키는 몸을 파르르 떠는가 싶더니 강아지 울음소리 같은 소리를 낑낑 내는 거였다.

"핑키를 딸처럼 예뻐하셨던 분이라 제가 연락을 드렸죠. 에버그린에서 나오신 지 10년이 넘는데도 늘 핑키를 보고 싶어 하셨거든요. 따님이랑 핑키 성격이 똑같다나요?"

로운이 고개를 끄덕이자 맷이 작은 목소리로 이렇게 덧붙였다.

"1980년생이셔요. 노화 방지 억제 물질이 좋기는 좋죠?"

맷은 그 좋은 걸 먹어보지 못하는 자신의 처지가 아쉽다는 투였지만, 로운은 그 말에 다시금 우울해졌다. 엄마보다 나이가 많으신 분은 저렇게 건강하게, 동년배보다 훨씬 젊고 고운 모습으로 잘 살아 계시는데…….

로운은 눈에 눈물이 맺히려는 순간 얼른 마음을 다잡고 가볍게 머리를 흔들었다. 옛날 생각일랑 뒤로 미뤄둬라. 이로운…….

세상의 끝

'그레이스'라는 이름이 잘 어울리는 우아한 부인은 로운을 포함한 모든 이들을 향해 그동안 핑키를 잘 돌봐주어서 고맙다는 인사를 잊지 않았다. 앞으로 꼭 1년 후에 이 자리에서 모두들 다시 만나자는 말과 함께 핑키를 가슴에 꼭 안은 채 카페를 떠나려 하자 로운과 핑키 사이에서 한동안 망설이던 맷은 결국 핑키의 뒤를 따라 한 걸음 내딛었다. 그러자 누군가가 '바늘 가는 데 실 가는 게 아니냐?'는 말을 한마디 던지자 핑키는 기어이 토라진 목소리로 종알거렸다.

"그럼 내가 바늘이라는 얘긴가?"

떠나는 마당에도 핑키가 이렇게 종알거리자 맷은 어색한 분위기를 바꿔야겠다고 생각했는지 얼른 맞장구를 쳤다.

"바늘과 실이라는 표현이 맘에 안 들면 볼트와 너트는 어때? 아니면 숟가락과 젓가락쯤으로 생각하든지. 그것도 아니면 손수건과 코는 어떨까?"

"차라리 손수건이 낫겠다 싶지만…… 맷! 이 마당에 호랑이 담배 피우던 시절의 아무 말 대잔치를 하자는 건 아니겠지?"

"호랑이 담배 피우던 시절이라니, 차라리 창세기적이라는 표현이 낫겠다, 핑키. 그리고 아무 말 대잔치는 트렌드에 뒤지는 장난이 아냐. 작년에도 한국인 회원이 그런 식의 말장난을 하는 걸 봤거든? 그것도 국회의원 출신이라는 VIP 회원이 말이야."

"아무 말이나 던진 결과 국회의원이 됐겠지."

이 둘의 말씨름을 넋 놓고 지며보던 사람들 중 누군가가 다시 한마디를 던졌다.

"정치평론가 납셨네."

이들을 떠나보내기 아쉬워 눈물을 글썽이던 로운은 그제야 정신을 차리고 하하 웃었다. 핑키도 이대로 헤어지기 아쉬웠는지 다시 모두를 향해 그동안 덕분에 즐거웠다는 인사를 건넸다. 로운은 로운대로 아쉬움을 달래려 카페 밖으로 슬그머니 나갔다. 그리고는 로운을 반겨주는 시추의 스크린을 통해 힐링센터의 존을 불러냈다.

"존, 방금 괜찮은 생각이 하나 떠올랐는데요."

'쇠뿔도 단김에 빼라'는 속담을 난데없이 머릿속에 떠올린 로운이 이렇게 운을 떼자 존은 마치 뜻밖의 공격이라도 받은 듯한 얼굴로 눈을 심하게 깜빡거렸다.

"그게 뭘까요?"

"제가 이 에버그린존으로 돌아와 홍보대사 역할을……."

로운이 말을 마치기도 전에 존이 껄껄 웃었다.

"그래요, 그거 참! 괜찮은 생각인데요?"

"홍보대사 일은 1년 후에 시작하기로 하고, 그전에 계약금을 먼저 받고 싶은데요?"

계약금이라는 말을 듣고 존이 눈을 다시 깜빡였다.

"자네, 아니, 참 용서하시게. 로운 씨! 로운 씨가 현실감각을 아주 빨리 찾으신 모양이군요."

"네, 그런 것 같은데, 본론부터 꺼낼까요? 계약금에 해당되는 그 몫을 돈 대신 다른 선물로 달라는 말을 하고 싶어 연락드린 거예요."

"다른 거라니? 대체 어떤 걸까?"

존의 물음에 로운은 아무렇지도 않은 듯 예사로운 얼굴로 말했다.

"생각의 집에 있는 로봇들이랑 바꾸고 싶어요. 어차피 해체해서 폐기 처분하실 거잖아요?"

"그, 그런 고물들을 갖고 대체 뭐하시려고?"

존이 눈을 휘둥그렇게 뜨자 로운은 이번에도 담담하게 말했다.

"제가 일종의 실험을 하려고요."

"흠! 로운 씨 아이디어 같진 않고, 어쩐지 준의 냄새가 나는데?"

존은 뜻밖이라는 듯 이렇게 중얼거렸다.

"그래, 그리고 이렇게 말했겠지. 의사 코빼기도 대하지 못하는 빈민층을 치료해주고서 받은 돈을 모두 로운 씨에게 챙겨 주겠다고 한 거나 아닌가 몰라?"

로운이 대답을 않자 존은 결국 생각을 돌린 듯싶었다.

“아니면, 핑키가 그런 앙큼한 생각을 했는지도 모르겠네. 아니지, 맷이 좀 음흉하니까…… 혹시 맷이?”

존은 로운의 제안이 뜻밖이라 당황했는지 못 알아들을 소리를 몇 마디 더 중얼거리더니 갑자기 스크린에서 빠져나갔다. 그리고는 10분 뒤에 다시 연락을 취해 왔다.

“너그럽고 지혜로운 이로운 씨! 행운을 빌겠소. 문제의 구식 인공지능과 로봇들을 하나도 빼놓지 않고 7시 정각에 현관에 모아놓겠소. 이미 간파하셨겠지만, 방해할 사람이나 로봇은 물론, 인사를 나눌 사람이나 로봇도 전혀 없을 테니 마음 놓으시오.”

존이 혼잣말을 몇 마디 더 늘어놓은 다음 스크린에서 사라지는 동안 로사와 수피는 100kg을 너끈히 들 수 있게 만든 로봇슈트로 갈아입고 나섰다.

“저희들은 천하장사들이랍니다.”

로봇슈트 덕에 천하장사로 변한 로사와 수피는 B지구로 과일과 채소를 날라다줄 트럭에 커다란 상자들을 가볍게 실은 다음 분주히 뛰어다니며 이런저런 준비를 마쳤다.

“그야 드론을 이용하면 편하지만, 친구 얼굴을 직접 보고 싶어서요. 도중에 붕대와 소독약 같은 의약품을 준비할 필요도 있고요.”

로사는 말을 마친 다음 준의 얼굴을 바라본 다음 작은 목소리로 속삭였다.

“게다가 친구 조카가 얼마 안 있으면 아기를 낳는데요, 선생님이 받아주셔야 할 것 같아요. 저희는 그런 일을 해본 적이 없어서요."

"물론입니다. 그런 일은 제 취미이기도 하니까요."

모두가 놀란 표정을 짓자 준은 아차 싶은 얼굴로 변명을 덧붙였다.

"아, 그게 말하자면, 피를 보는 걸 제가 즐긴다는 얘긴 아니고요, 인간들 중에서 특히 인간 의사들은 피를 보는 걸 싫어하잖습니까. 요컨대, 인간이 꺼리는 일이야말로 로봇이 할 일이라는 얘기죠."

준의 장황한 변명에 모두들 하하 웃고 나서 밝은 얼굴로 트럭에 올라탔다.

"한 달에 한 번, B지구에 갈 때마다 빌리는 트럭인데, 시속 350km랍니다. 말하자면 이로운 씨 태어났을 당시 한국에서 인기 있었던 ktx 속도보다 빠르다고 생각하시면 돼요."

다른 차들은 물론 신호등들과 신호를 주고받으며 씽씽 달린 트럭은 순식간에 에버그린 힐링센터에 도착했다. 그리고는 준의 제자 격인 로보닥 슈바이처 Ⅲ와 간호사 로봇 넷에 꼬리를 살래살래 흔드는 강아지 로봇과 고양이 로봇에 시추까지 무사히 트럭 뒤칸에 태운 다음 B지구를 향해 다시 달렸다. 세상의 끝이라고도 불리고, 때로는 바깥이라고 불리는 드넓은 사막지대였다. 어느 결에 자외선과 미세먼지를 차단하는 돔을 벗어났는지 공기가 탁해지기 시작했고, 자연의 냄새 같은 게 진하게 느껴졌다. 로운은 옛날의 향기를 기꺼이 들이마셨다.

"지금 우리가 있는 A지구에서 B지구까지의 거리는, 이로운 씨가 알아듣기 쉽도록 설명하자면, 서울에서 부산보다 조금 먼 거리라는군요. 하지만 2시간 이내에 도착할 거예요."

로사가 이런 말로 두터운 침묵을 깼다. 로사가 서울을 가 본 적이나 있을까? 로운은 이런 의문에도 불구하고 잠자코 고개를 끄덕였다. 그러고 나서 또 다들 입을 다물었다.

"하지만 이 이동은 조금 후에 깨달으시겠지만. 공간이동이 아니라 시간여행이 될 것 같네요. 이로운 씨뿐만 아니라, 여기 이 의사님을 제외하면 다른 분들은 모두 멀리 가본 적이 없으시죠?"

로사의 말에 모두들 정신없이 창밖을 내다보았다. 22세기가 얼마나 눈부신 것인지, 실감나게 보여주었던 바깥 풍경은 트럭이 달린 지 20분도 못 돼서 21세기의 풍경으로 변하기 시작했다. 로운이 살았던 시대처럼 빼곡하지는 않지만 높은 아파트 촌이 연달아 나타나더니 어느덧 한적한 변두리 소도시로 바뀌는 거였다. 그리고는 비슷비슷한 단조롭고 황량한 사막지대가 이어서 끝도 없이 나타났다.

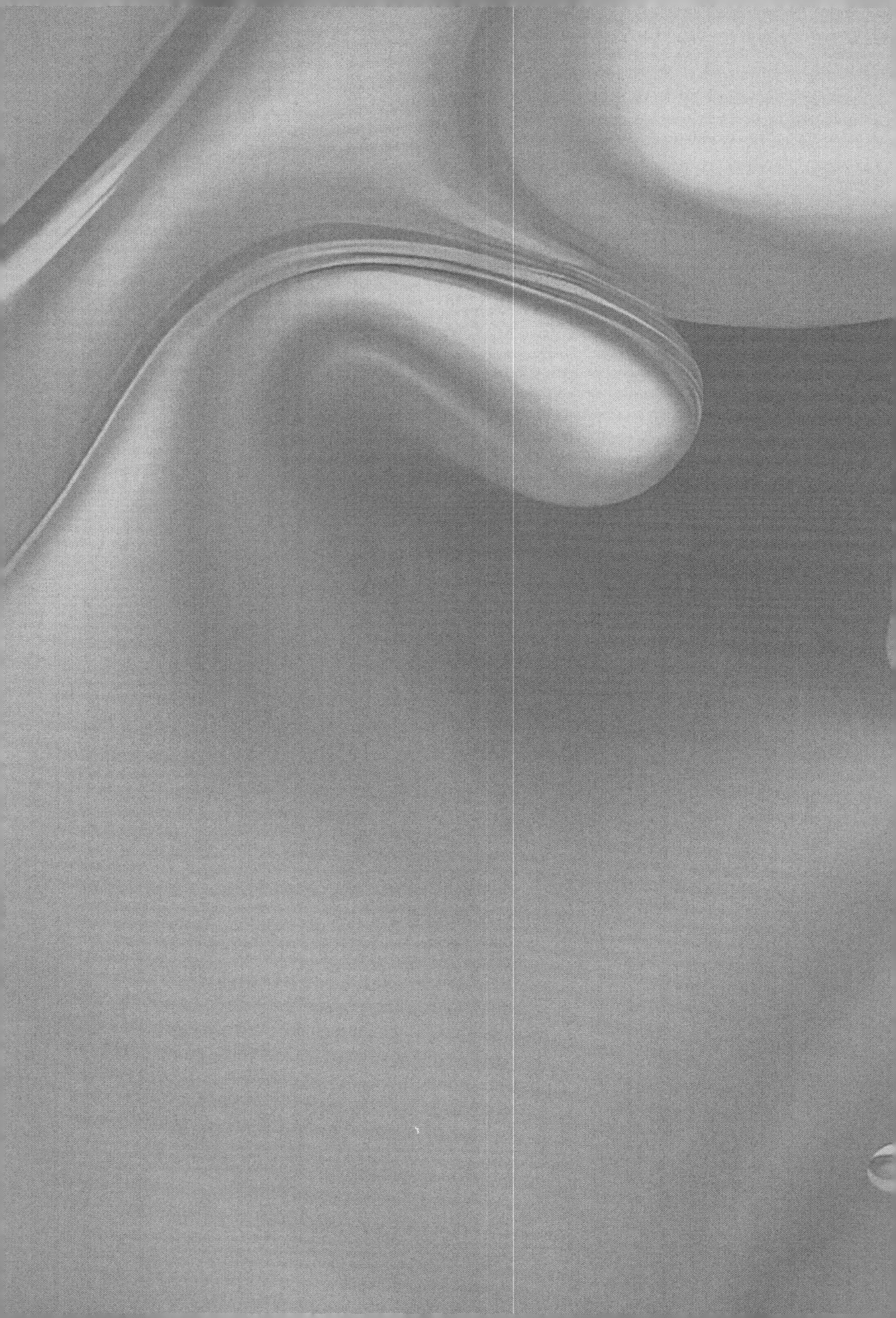

또 다른 세상

"드디어 도착했네요!"

로사의 말에 정신을 차린 로운이 고개를 들고 사방을 열심히 둘러봤지만 드넓은 사막에는 아무것도 보이지 않았다. 물론 아무데서나 잘 자라는 잡초는 드문드문 눈에 띄었지만. 그러던 중 '위험'이라는 글씨가 쓰인 듯한 붉은색의 작은 팻말이 하나 눈에 들어왔다. 만든 지 100년도 더 된 것 같네. 엄마라면 모를까, 적어도 내가 살던 시대에도 저런 건 못 본 건 같은데…….

그러나 트럭이 그 근방에서 멈춰 서자 로사가 주위를 둘러보며 미소를 지었다.

"여기에요."

여기라니? 저 팻말이 표식인가 보지? 생각하면서 로운은 얼른 몸을 일으켰다. 그리고는 과일 상자를 몇 개씩 포개 든 로사와 수피의 뒤를 따라 상자를 두 개 든 채 걷기 시작했다. 준과 트럭 뒤칸에 있던 로봇들도 민첩하게 상자를 두어 개씩 들고는 엉거주춤 로사와 수피의 뒤를 따랐다. 수피는 팻말 바로 앞까지 성큼성큼 걸어가더니 팻말 앞에서 휘파람을 길게 불렀다. 로운이 눈을 크게 뜨고 바라보니 팻말 근처의 잡초 더미가 흔들리더니 그 안에서 누군가가 나오고 있는 게 보였다.

"아주 오래전에는 복합쇼핑몰이었다네요. 60년 전쯤에 문을 닫았다는데, 요행히 집 없는 사람들이 여길 찾아낸 거죠."

수피가 설명을 마친 순간 안에서 나온 존재가 모습을 드러냈다. 커다란 개를 닮은 관절로 이루어진 로봇이었다.

"광산에서 짐을 나르던 관절 로봇이에요."

수피의 말에 로사가 로봇에게 상자를 건네주며 설명을 보탰다.

"생산을 멈춘 지 20년은 된 거지만, 로봇 폐기장에서 건졌죠. 다른 데선 손도 못 대지만 여기서 완벽하게 고쳤다고요. 이 지하도시에도 황금손이 몇 있거든요."

그 많은 과일 상자와 채소 상자를 번쩍 드는 관절 로봇의 뒤를 따라 로사와 수피가 성큼성큼 안으로 들어갔다. 로사의 뒤를 따라 로운이 박스 두 개를 번쩍 들자 금지를 꼭 닮은 강아지 로봇이 로운의 뒤를 졸졸 따랐다. 이어서 고양이 로봇 하나를 안은 준과 다른 로봇들이 로운의 뒤를 따랐다.

조카 집을 서둘러 찾아간 로사는 안으로 들어서자마자 비명을 질렀다. 고생을 한 탓에 로사의 친구라기보다는 이모처럼 보이는 프리다는 정신을 잃은 채 침대 위에 쓰러져 있었고, 안다라는 이름의 조카 역시 옆방 식탁 앞에서 쓰러져 있었던 것이다. 준이 간호사 로봇 우나와 서둘러 프리다에게로 달려가자, 준의 제자이자 조수 노릇을 해오던 슈바이처도 또 다른 간호사 로봇 두나와 함께 황급히 프리다에게로 달려갔다. 다른 간호사 로봇들은 의료 기구를 양손에 든 채 차분한 걸음걸이로 로봇 의사에게로 다가갔다.

경비 로봇 하나와 안내 로봇 하나, 그리고 자질구레한 일을 도와주는 비서 로봇 도나와 귀여운 고양이 로봇이 제각기 센서들을 부지런히 움직여가며 사람들 얼굴과 분위기를 익히고 있는 걸 바라보던 로운은 슬그머니 돌아섰다.

준을 도와줄 로봇이나 자원자들도 많았지만, 무엇보다 피를 본다는 게 끔찍했기 때문이다. 엄마만 해도 어렸을 적 길에서 뛰어놀다 넘어져서 피를 흘린 적이 많다는 식의 이야기를 곧잘 들려주었지만, 로운은 자라면서 피를 본 적이 거의 없다시피 했다. 게다가 모르는 사람들의 치료 과정을 빤히 지켜보는 것도 예의는 아니라는 생각이 들었다.

"간호사들이 연식이 오래된 게 차라리 다행입니다. 요즘 로봇들은 피를 만지는 걸 싫어하거든요."

준이 눈치를 챘는지 한시름 놓았다는 듯한 얼굴로 이렇게 말해주고는 작은 목소리로 한마디를 더 보탰다.

"피야말로 인간이라는 가장 큰 증거인데."

곁에서 준을 돕던 로사도 아차, 싶은 얼굴로 로운더러 쉬라고 권했다.

"내 정신 좀 봐! 쉬시라는 이야기도 여태 못했네. 상황이 상황인 만큼 이해해 주실 거죠?"

로운이 빙그레 웃은 뒤 임시병원을 나가자 수피가 로운의 등 뒤에 대고 이렇게 말했다.

"옛날에는 극장이랑 교회에 도서관까지 있었던 곳이라니, 로운 씨도 볼만한 게 틀림없이 있을 거예요. 좀 있다 저도 따라갈지 모르겠네요."

수피의 목소리가 밝은 걸 보면 산모의 상태가 좋아진 모양이지?

세상의 마지막 도서관

동굴 속의 흙집들은 밖에서 보기엔 대체로 비슷비슷했다. 처음엔 반듯하게 지어졌겠지만 얼마 안 있으면 곧 쓰러질 것처럼 위태위태해 보이는 집도 여럿 있었다. 안으로 들어가면 주인의 취향과 개성이 드러난 살림살이들 때문에 달라 보이겠지만, 크기마저 비슷비슷해 녹색 채소랑 가지각색의 꽃들이 만발한 화려한 수직정원을 갖춘 A지구의 집들과는 대조적이었다. 문이 있어야 할 자리에는 안이 훤히 들여다보이는 발을 쳐놓거나 얇은 담요 같은 걸 아무렇게나 둘러놓은 곳도 많았다. 하지만 노랫소리가 새어나오는 곳도 이따금 있었다. 로운은 안에 사는 사람들에겐 실례가 될 수도 있겠다는 생각이 들었지만 가끔씩 걸음을 멈추고 노랫소리에 귀를 기울였다.

그러던 중이었다. 쏠마레 루치까 라스뜨로 다르젠……. 이런 노랫말로 시작하는 '산타 루치아'가 따뜻한 불빛과 함께 한 집에서 돌연 쏟아져 나왔다. 로운은 당장 그 집 문을 열어젖히고 안으로 뛰어 들어가서 함께 노래를 부르고 싶은 마음을 누르느라 애를 써야 했다. 별안간 가슴이 세게 뛰놀기 시작했다. 저게 대체 언제 적 노래인데, 아직도 부르고 있는 걸까…….

그 순간 로운은 어린 시절 옆집에 혼자 살았던 할머니가 '아리랑'을 혼자서 부르던 모습을 떠올려냈다. 아아, 시대가 바뀌어도 사람이란 노래랑 옛날이야기도 좋아하게 마련인가 봐. '아리랑'만 해도 수백 년은 된 노래인데…….

자신도 모르게 눈물을 한 방울 뚝 떨어뜨린 순간 드디어 옛날에 서점이었던 곳이 로운의 눈에 들어왔다.

그 안에서 세 사람이 낡은 의자 위에 앉아서 종이책을 조용히 읽고 있는 장면을 대한 순간, 로운은 더욱 놀랐다. 지구상에서 없어진 지 오래된 종이책을 여기서 보게 되다니……. 서점이었던 장소의 흔적만을 기대하고 찾아간 로운이 다시 놀란 건, 로운이 입구 쪽에 다가선 순간 눈에는 보이지 않는 분무기에서 살균 가스가 뿜어져 나온 일이었다. 그러자 로사가 한 말이 머릿속을 스치는 거였다. 지하도시에도 황금손이 몇 있답니다…….

아마도 누군가가 잘사는 곳에서 주워 들인 고물을 그 황금손으로 불리는 사람들이 고쳐놓은 건 아닐까? 생각한 로운의 눈에 영어와 한글, 그리고 중국어로 쓰인 안내판의 문구가 들어왔다. 이 도서관은 지구의 자랑스러운 유산인 종이책을 1000여 권 모아놓은 곳입니다. 조용히 책을 읽으신 다음에는 다른 사람들을 위해 그 자리에 그대로 놓아두시길 바랍니다. 이를 어길 시 결과는 책임질 수 없습니다.

책을 읽고 있는 세 사람에게 조용히 눈인사를 건네니 그중 유독 친절하게 생긴 남자가 로운을 향해 활짝 웃어 주었다. 마치 이발소에서 갓 빠져나온 듯, 머리부터 발끝까지 말쑥한 차림새였다. 엄마와 함께 파리에 놀러갔을 때 거리에서 흔히 마주친 젊은이 같은 분위기에 로운은 고개를 갸우뚱했다. 이상하다. 살기 힘든 곳이라고 알고 있는데, 그렇지도 않나봐. 잘사는 곳에서 놀러온 사람이 아니면, 정말 책을 읽기 위해 들른 사람일까?

"뭐 도와드릴 일이 있습니까, 이로운 씨?"

로운은 남자가 자신의 이름을 정확하게 부르자 다시 놀랐다.

"어떻게 제 이름을 아시는지요?"

남자가 껄껄 웃자 나머지 두 사람도 미소를 머금은 채 책을 덮고 두 사람을 쳐다보았다.

"실은 이로운 씨의 해동 수술이 성공했다는 소식을 게시판을 통해 이곳에 처음 알려준 건 저였습니다. 참! 인사가 늦었네요. 해리스라고 하는데, 이 딥시티 주민은 아니지만 책을 읽으러 가끔 이곳에 들르죠. 지금 종이책 도서관이 있는 곳은 여기가 유일하거든요. 씁쓸한 일이지만……."

해리스가 로운에게 오른손을 내밀었다. 로운은 일이라곤 해본 적도 없는 듯한 남자의 손을 황급히 잡고서 가볍게 흔들었다.

"여기 들어오실 때 입구에 설치해 놓은 게시판을 안 보셨나보군요? 누군가가 영어나 한글로 소식 같은 걸 적어놓으면, 그걸 본 사람이 자기가 아는 또 다른 나라 언어로 원문 옆이나 아래에다 번역해 놓곤 합니다. 어떨 땐 불어, 독어, 중국어 등 모두 10개국 언어가 올라갈 때도 있지요. 여긴 번역기 없이 살아가는 사람들도 많거든요. 먹고사느라 바쁜 탓에 나날이 문맹도 늘어가기는 하지만, 이런 저런 수단 덕에 여기서도 알아야 할 건 대충 알고 지낸답니다. 하지만 이로운 씨가 이 많고 많은 장소들 중 여기를 오실 줄은 꿈에도 몰랐습니다. 정말 반갑습니다."

"제 생각에는 해리스 씨가 제게 텔레파시를 보내신 게 아닐까 싶은데요?"

로운의 농담에 해리스는 정색을 하고 진지한 얼굴이 되었다.

"A지구 사람들은 칩 덕분에 평소 텔레파시를 주고받지만, 여기선 인간이 본디 타고난 능력으로 텔레파시를 주고받죠. 하하, 농담입니다. 암튼 인공지능과 로봇이 전부인 요즘 세상에도 과학을 넘어서는 신기한 일들이 많이 일어나잖아요? 언젠가는 그런 이야기를 이로운 씨랑 자유롭게 하게 될 날도 있으리라 기대해 봅니다."

해리스는 책을 마저 읽을까, 아니면 로운과 이야기를 조금 더 나눌까 망설이는 눈치였다.

"제가 독서하시는 걸 방해했네요. 그럼……."

로운의 말에 해리스는 무슨 이야기를 더 할 듯 말 듯하다가 읽고 있던 역사책으로 눈길을 돌렸고, 로운은 로운대로 책꽂이로 눈길을 돌렸다. 영어와 한글을 혼자서 공부할 수 있는 어학 관련 서적과 동식물 도감이 대부분이었지만, 로운이 제목을 들어본 적이 있는 철학서적과 과학서적도 드문드문 섞여 있었다. 물론 로운이 냉동된 다음 나온 듯싶은 책도 있었지만, 로운은 그런 책에는 관심이 가지 않았다. 그보다는 재미있게 읽었던 책도 있으려나, 하고 둘러보다말고 로운은 저도 모르게 끙, 하는 신음을 토하고 말았다. 로봇 탐정 셜록이 온갖 범죄를 해결하는 「로봇 탐정 셜록」 시리즈가 눈에 들어왔던 것이다. 총 다섯 권의 시리즈 중 5권을 읽던 중 그만 깊은 잠이 빠져버렸는데…….

하지만 너무 오랫동안 잠들어 있었던 탓일까? 아직도 꿈을 꾸고 있는 듯한 이 기분은 대체 뭘까? 어떻게 내가 잠들기 전 읽었던 책이 55년 후 내 앞에 나타난 걸까? 물론 똑같은 그 책이 아니라, 이 책이 오히려 더 새것이긴 하지만……. 혹시 엄마가 나를 이곳으로 끌어주신 건 아닐까? 아니면, 이 모든 게 나를 궁지에 빠뜨리려는 그 누군가의 계략은 아닐 테고……. 그럴 리도 없잖아? 나 같은 평범한 아이가 계략의 대상이 될 리가 있겠어? 그럼에도 저 해리스라는 사람 좋아 보이는 웃음을 띠고 시집을 읽고 있는 남자도 내 꿈속의 인물 같다는 생각이 드는 건 단지 지금 이 순간의 느낌뿐일까?

"뭐 도와드릴 일이라도?"

의심에 찬 로운의 눈초리를 느꼈는지 해리스가 여전히 사람 좋아 보이는 미소를 띤 채 로운을 쳐다보았다.

"만일 제가 이 책을 갖고 나간다면 도둑으로 몰릴까요?"

로운이 불쑥 엉뚱한 질문을 던지기는 했지만, 그건 어느 정도 진심이 담긴 질문이었다. 과거와 연결된 그 「로봇 탐정 셜록」 5권을 가지고 있고 싶은 건 사실이었다.

"글쎄요. 아직 그런 일이 벌어진 적이 없어서. 고양이 울음소리 같은 사이렌 소리가 크게 울린다는 이야기는 들은 적이 있는 것 같기는 하지만……. 그럼 오늘 한번 시험해 볼까요?"

해리스는 로운이 마치 재미있는 농담이라도 했다는 듯 활짝 웃더니 이렇게 맞장구를 쳤다. 천사처럼 해맑은 그의 얼굴에 로운은 마음을 놓고는 「로봇 탐정 셜록」 5권을 손에 든 채 슬며시 밖으로 향했다. 그러나 입구를 벗어나기가 무섭게 손에서 힘이 스르르 빠져나간다 싶더니 다리에 이어 온몸의 힘이 모두 빠져나가는 거였다. 해리스가 송아지 같이 커다란 눈을 더 커다랗게 뜨고 지켜보는 가운데 로운은 바닥에 주저앉고 말았다.

"저런!"

해리스가 놀란 얼굴을 하고 로운에게 서둘러 다가오는 것과 동시에 도서관 지킴이로 보이는 사람들이 두어 명이 입구 쪽에 모습을 드러냈다. 로운은 얼굴을 붉힌 채 변명을 하기 위해 입을 열려 했지만 입술이 말을 안 들어 꼼짝도 할 수 없었다.

"로보 준의 주인 되시는 한국인 이로운 씨세요."

수피의 목소리라고 느낀 순간 로운은 그 자리에서 정신을 잃을 것 같다는 생각이 머릿속에 희미하게 떠올랐다. 아, 이대로 또 깊은 잠에 빠졌다가 눈을 떠보면 세상이 2033년으로 되돌아가 있었으면 좋겠다…….

무지개의 선물

"모두가 제 잘못입니다. 기껏해야 고양이 울음소리 같은 사이렌이 울릴 거라고 누가 그러기에……. 그 말만 믿고 장난삼아 한번 권했던 건데……."

해리스는 로운을 임시병원의 매트리스 위에 눕히면서 땀을 뻘뻘 흘렸다. 입으로는 이런 변명을 늘어놓은 다음 그는 땀을 훔쳐낸 후로는 고양이를 좋아하는지 로봇 고양이 꽁무니를 한동안 쫓아다녔다. 그러더니 한 손으로는 고양이를 쓰다듬는 한편 눈으로는 수피의 모습을 열심히 좇아다니는 거였다. 수피랑 고양이를 둘 다 좋아하나보지 뭐……. 이렇게 생각은 멀쩡히 하면서도 손가락 하나 까딱할 수 없다는 사실이 로운은 더없이 부끄러웠다.

"로운 씨를 우리 조카 집에 모셔야 하는데, 산모도 산모지만 집이 워낙 누추해서요. 게다가 의사 선생님 곁에 있는 게 아무래도 나을 듯싶어서……."

로사는 로사대로 이런 변명을 늘어놓았다. 준이 사람마다 개인차는 있지만 회복하려면 두어 시간에서 때로는 하루 종일 걸린다는 말로 로운을 겁 준 후였다. 로운을 보고 윙크까지 던지는 그를 보고 다리를 저는 노인 하나가 이런 질문을 불쑥 던졌다.

"로보 준의 이름이 『동의보감』을 지으신 허준 선생의 이름에서 따왔다는 얘기가 맞아요?"

그러자 다리를 다친 사내아이에게 붕대를 감아주고 있던 슈바이처가 얼른 고개를 끄덕여주었다. 로운 역시 준이 『동의보감』은 물론 고대 중국과 한국을 비롯한 아시아의 각종 의학서적과 온갖 정보를 혼자서 터득했다는 이야기를 핑키에게서 들은 적이 있었다.

그 위에다 최신 의학과 고대 그리스와 고대 이집트의 민간요법까지 두루 학습했다니, 준은 아마 사람과 로봇을 통틀어 지구 최고의 명의임이 틀림없으리라는 생각이 들었다. 그렇기는 하지만, 이 분은 또 어떻게 허준을 아는 걸까? 『동의보감』이 무엇인지, 허준이 누구인지 모르는 한국 사람들도 많은데…….

"3,40년 전만 해도 한국에서 만든 사극을 시청하는 사람들이 제법 많았답니다. 허준이 등장하는 사극도 인기를 끌었고요, 그 덕에 침술의 효능이 전 세계에 알려졌지만 말입니다. 침술의 효능은 벌써 40년쯤 전에 과학적으로도 입증이 됐을 걸요? 그러고 나서 얼마 후 한의사라는 직업은 지상에서 사라졌답니다. 한동안은 로봇 의사들이 침을 놓았거든요."

로운의 어리둥절해하는 표정을 대한 해리스가 옆에서 작은 목소리로 조금 기다랗게 설명해 주었다. 해리스 역시 한국어를 혼자서 공부한답시고 「로봇 탐정 셜록」 한국어판을 비롯한 한국 책을 수십, 수백 권이나 읽은 몸이라고, 로사가 작은 목소리로 옆에서 일러주었다.

"그래서 그렇게 한국 책을 많이 갖고 있었구먼. 난 또 한국 아가씨랑 사귀기라도 했나, 하고 혼자서 생각했었지."

지하도시의 지도자쯤으로 보이는 점잖게 생긴 노인 하나가 고개를 끄덕이며 해리스를 주변사람들에게 소개해 주었다. 한마디로 이 지하도시에 도서관이 설 수 있도록 종이책을 가장 많이 기증한 공로자라 도서관장이 아니라도 도서관의 후원자로 모시고 싶은데, 해리스가 극구 사양하고 있다는 이야기였다.

"겨우 100권밖에 안 되는 걸 갖고 뭘 그러십니까."

"이 사람! 요즘 세상에 종이책을 100권이나 갖고 있는다는 게 보통 일인가? 덕분에 이 지구상에서 유일한 건지 아닌지는 모르겠지만 이 궁색한 곳에 도서관이 다 생겼는데. 도서관 덕분에 이곳을 찾는 사람들이 갈수록 는다니까."

노인의 말이 떨어지기가 무섭게 한눈에도 부유해 보이는 비단옷 차림의 노인 셋이 임시병원 안으로 들어섰다. 준의 소문이 벌써 돌았는지 멀리서 찾아온 사람들인 듯싶었다. 하지만 로운이 차에 챙겨뒀다가 들고 온 비상약품은 물론 로사가 사갖고 온 의약품도 모두 동이 난 뒤였다.

준은 성능 좋은 센서로 환자들의 몸속을 뚫어본 다음 메모리에

저장도 해가면서 입으로는 병 이름과 약 이름으로부터 누구를 찾아가면 좋을지, 그런 조언까지 들려주던 중이었다. 그마저 여의치 않은 환자들에게는 오래전에 민간요법으로 쓰였다는 몇몇 치료법 중 과학적으로 검증이 된 요법만을 골라서 소개해주고 있었다.

한눈에도 부자로 보이는 노인들이 짐을 든 로봇을 거느린 채 입구에 모습을 드러낸 건 바로 그때였다. 좀처럼 보기 드문 비단옷 차림의 노인들을 본 사람들은 동시에 입들을 벌리고 눈들을 휘둥그레 떴다. 이윽고 노인이 리더답게 맨 먼저 인사를 건넸다.

"진밸리에서 오신 거요?"

이 한마디에 분위기는 대번에 부드러워졌다. 새로 나타난 부자들은 노인이 말을 걸어준 게 다행이라는 표정을 지었고, 지하도시 사람들은 진밸리 사람은 처음 본다고 웅성거렸다. 그러던 차에 머리를 무지개 빛깔로 물들인, 무지개처럼 화려한 아가씨 하나가 갑자기 입구에 나타나자 로운은 심술궂은 소나기가 지나간 뒤 나타난 일곱 빛깔 무지개라도 대한 기분이었다.

"무지개를 보셨나요?"

아가씨의 뚱딴지같은 말에 사람들의 눈길은 진밸리 부자들에서 아가씨에게로 옮겨갔다. 매트리스 위에 누워 있던 로운도 입을 움직일 만큼의 기력은 회복한 뒤라 빙긋 웃었다. 여기도 볼거리는 제법 많네. 화려한 비단옷 차림의 아시아 부자들에 이어 무지개 빛깔 머리를 한 아가씨의 무지개 타령이라…….

"오, 사무아! 갑자기 나타나서는 웬 무지개?"

입구 쪽에 식탁을 마련해놓고 사람들에게 과일과 차를 대접하고 있던 수피가 아가씨에게로 달려가 그녀를 꼭 안아주었다. 남녀노소 가리지 않고 아가씨를 보고 반기는 걸 보고는 로운은 눈이 휘둥그레 떴다. 이 지하도시, 정식 이름이 딥타운이라고 했던가, 그게 아니라 딥시티라고 했던가? 암튼 이곳의 여신쯤 되나보지 뭐…….

"좀 전에 치즈랑 양말이나 살까 하고 장에 잠깐 들렀더니, 갑자기 소나기가 시원스레 내리지 않겠어요? 그러더니 무지개까지 오랜만에 뜨는 거예요. 그래서 여러분께 알려드리려고……."

아가씨가 말을 마치기도 전에 사람들은 웅성거렸다. 한 쪽에선 박수를 쳤고, 대여섯 명은 큰소리로 만세를 불러댔다. 매트리스 위에서 다리가 움직이는지 가만히 시험해 보던 로운도 다리가 말을 듣자 슬그머니 일어나 앉았다. 그리고는 조용히 일어나 구석으로 가려는 참인데 누군가가 그를 가리켰다.

"그래. 저 분이, 저 한국인이 이 사막에 무지개를 10년 만에 불러오신 거야. 아는 사람은 다 알고 있겠지만, 내 아버지 나라인 네팔에선 오래전에 한국을 '솔롱고'라고 불렀거든. 알다시피 '솔롱고'는 무지개라는 뜻이잖아……."

남자의 말이 채 끝나기도 전에 사람들이 로운의 주위로 몰려들기 시작했다. 당황한 나머지 숫기가 없는 로운은 얼굴을 빨갛게 물들였다. 사막에 떴다는 무지개랑 내가 무슨 상관이람! 그야 물론 무지개야 누구보다 좋아하기는 하지만……. 누군가가 다시 만세를 불러대자 로운은 더욱 당황해서 변명 삼아 말을 꺼냈다.

"제가 아니라, 로보 준이 여기 오신 게 더 의미가 있겠죠."

로운의 변명 아닌 변명도 이내 사람들의 함성에 묻혀버렸다.

"맞아! 이 오지에 두 분이 오셨다는 건 보통 일이 아니야."

"쨍하고 볕든 날이 온 거지 뭐."

모두들 들떠서 법석을 떠는 가운데 누군가가 로운의 말을 들었는지 한마디를 결론처럼 던지는 거였다.

"두 분이 여기서 오래오래 사시라는 하늘의 뜻이라고."

여기서 오래오래 살라니, 그게 무슨 소리야? 아무리 도서관은 있다지만, 아무것도 없는 여기서? 로운이 머리를 흔들까 말까 생각하고 있는데 갑자기 눈에 안 띄게 수피를 조심조심 도와주던 해리스가 끼어들었다.

"도서관에 병원에다 그 위에 무지개를 사랑하는 착한 사람들이라……. 이만하면 나라 꼴이 대충 갖춰졌네요. 게다가 갓난아기도 몇 년 만이라면서요? 우리, 한 번 나라다운 나라를 세워볼까요?"

해리스의 엉뚱한 제안에 로운과 로봇들만 빼놓고 모든 사람들이 만세를 불렀다. 심지어는 준에게 치료를 받으러 온 게 분명한 진밸리 부자들조차 덩달아 두 팔을 번쩍 치켜들고서 만세를 따라 부르는 거였다.

긴 하루

'무지개'와 '나라'라는 말이 가진 힘과 마력 때문일까. 임시병원에 몰려든 100명 가까운 사람들은 좀처럼 그 자리를 떠날 줄 몰랐다. 무지개에 관한 신화와 이야깃거리를 쏟아놓은 사람들 중에선 책벌레인 해리스가 가장 인기를 끌었다. 그는 무지개에 관한 과학적 사실과 이야깃거리를 모조리 뽑아낸 다음엔 아주 오래전 에 살다갔다는 시인의 시까지 낭송하는 거였다.

하늘의 무지개를 바라보면
내 가슴은 뛰누나.
어렸을 적에도 그러했고
어른인 지금도 그러하네.
나이가 들어도 그러하길
아니면 죽어도 좋으리.

'내 가슴은 뛰노나'라는 대목에서 그가 수피의 얼굴을 번개처럼 빠른 눈빛으로 훔쳐보는 장면을 로운은 놓치지 않았다. 강인한 남자를 좋아한다는 느낌을 주었던 수피건만 해리스의 시낭송에는 감명을 받은 듯 얼굴이 발그레해진 모습이었다.

로운은 도서관 지킴이로 보이는 사람이 주워다 준 「로봇 탐정 셜록」 5권을 마저 읽기 시작했다. 멀지 않은 곳에서 환자들을 향해 '전 로봇이라 지치는 법이 없으니 24시간 내내 여러분을 봐드리겠다'는 말을 지치지 않고 늘어놓던 준은 이번에는 진밸리 부자노인들에게 장수하는 법에 대해 강의를 하고 있었다.

"동서고금을 막론하고 인간이 쓰거나 주고받은 의학 서적과 정보는 빠짐없이 접해 보셨을 테니, 이젠 결론 비슷한 걸 얻지 않으셨겠습니까?"

가장 돈이 많아 보이는 부자가 이런 식으로 준에게 이야기를 꺼내자 가장 나이가 많아 보이는 부자가 답답하다는 듯 소리쳤다.

"무슨 서론이 그렇게 길어? 뭘 먹어야 200살까지 살 수 있겠느냐고 물어보면 될 걸 갖고."

그 말에 준의 대답을 기다리는 사람들 중 하나가 이렇게 중얼거렸다.

"200살까지 살면 뭐해? 100살 채우기도 이렇게 힘든데."

"그건 네가 돈이 없어서 그래. 돈만 많아봐. 한 500년 살아보겠다고 기를 쓰고도 남을 걸?"

그 옆에 있는 남자가 고개를 흔들자 사람들이 입을 모아 두 사람을 나무랐다.

"닥쳐! 선생님 대답 좀 들어보자고."

하지만 얼마 후에 나온 준의 대답은 싱거울 정도로 단순했다.

"조금 덜 먹고 더 많이 움직이는 것이라고, 제가 대답한다면 실망하시겠습니까?"

부자들은 눈에 띄게 실망스런 얼굴이 되었지만 가난한 사람들은 그럴 줄 알았다는 듯이 마주보고 웃어댔다. 질문을 던진 부자는 머쓱한 표정으로 머리를 긁었다.

"선생님도 다른 분들이랑 크게 다르지도 않군요."

누군가가 진리란 원래 단순한 거라오, 한마디 던지자 부자는 갑자기 생각이 났다는 듯 황금빛 가방을 열었다.

"참! 내 정신 좀 봐. 선생님께 드릴 선물이랍시고 가져왔다는 게……."

부자가 가방 안에서 산삼이 든 호화로운 술병을 하나 꺼내들자 사람들이 어이없다는 듯 킥킥거렸다.

"난 또 뭘 가져왔나 하고 목을 길게 빼고 기다렸더니만."

"지금 로봇, 아니, 의사님에게 술을 권하는 거야?"

그러자 술병을 꺼내든 부자가 머쓱한 얼굴로 이렇게 대꾸했다.

"믿거나 말거나, 진밸리에선 로보 준이 약주를 드실 줄 안다고 소문이 났거든요. 준 선생이 로봇이라고는 하지만 어디 보통 로봇입니까?"

누군가가 '설마!' 하는 식으로 부자의 말을 받아치자 부자는 이에 굴하지 않고 우겨댔다.

“밥 먹는 로봇 못 보셨나 봐요?”

로운은 책을 읽다말고 그 말을 듣고 하하 웃었다. 사람이 주는 밥이나 빵 따위를 먹은 후 그대로 똥이라도 싸는 것처럼 엉덩이 쪽으로 토해내던 로봇 강아지가 떠올랐던 것이다. 결국 혐오감을 준다는 이유로 팔리지도 않아 생산은 멈췄지만, 그 로봇 강아지를 냉장고처럼 쓴다는 사람을 본 적이 있었다. 강아지에겐 위에 들어간 음식을 냉장 보관하는 기능이 있었던 것이다.

사람들이 그러거나 말거나, 준은 부자가 건네준 약주를 공손히 받아든 다음 당장 한 잔 마시기라도 할 것처럼 병뚜껑을 조심스레 열어본 다음 코까지 킁킁거리며 냄새를 맡아보는 거였다. 사람들이 숨을 죽이고 지켜보는 앞에서 준은 빙그레 웃었다.

“자연산 산삼 100년근으로 만든 귀한 술이네요.”

남자들은 그 말에 덩달아 코들을 벌름거리며 침을 꿀꺽 삼켰고, 기분이 좋아진 진밸리 부자는 가방 안에서 값나가는 것들을 바라바리 꺼내들었다.

“아기 예수님을 만나러 온 동방박사 같네요.”

누군가가 이렇게 감탄하자 다들 한마디씩을 던졌다.

“아기 예수님을 만나러 온 사람이 술을 들고 온다고요?”

귀한 약주 냄새에 취하기라도 한 듯 모두들 웃기 시작하는 가운데 부자들이 들고 온 술과 온갖 육포, 그리고 로운이 난생 처음 대하는 과자까지 사람들에게 빠짐없이 돌아갔다. 구석에 앉은 채

100쪽 남겨진 추리소설로 다시 눈길을 돌린 로운에게도 초콜릿과 과자가 담긴 접시가 하나 돌아왔다. 블루펄이라는 파란 과일로 만든 초콜릿을 맛나게 먹는 로운의 눈에 진밸리에서 온 부자가 화려한 금잔에 산삼주를 한 잔 가득 따라 준에게 내미는 모습이 들어왔다.

"선생님. 멀리서 갖고 온 성의를 봐서라도 한잔만 받아두소."

사람들은 대번에 몸이 굳어져서 눈들을 휘둥그레 떴다.

"저런, 저런! 대체 왜 저런대?

"이제 보니 미친 거 아냐?"

"그러게. 로봇, 아니, 명의를 망칠 일이라도 있나?"

모두들 준과 진밸리 부자를 주시하는 가운데 준은 술이 찰랑거리는 금잔을 물끄러미 내려다보고 있었다. 마치 마실까 말까 끝없이 망설이기라도 하듯.

"저러다 진짜 마시기라도 하면 어떻게 되는 거야?"

"그걸 지금 질문이라고 하는 거야?"

사람들이 계속 웅성거리자 결국 그들의 지도자 노인이 준에게 다가가 손을 잡으려는 순간, 마침내 준이 입을 열었다.

"정말 감사합니다. 보잘것없는 기계에게 귀한 술을 다 권해 주시다니……."

그 다음에 나온 준에게서 나온 목소리는 도저히 로봇의 것이라고 믿겨지지 않았다. 준은 감동을 받은 인간이 울먹이기라도 하듯, 쉰 목소리로 띄엄띄엄 말을 이어갔다.

"로봇으로 만들어진 뒤로 이렇듯 인간적이고 이렇듯 따뜻한 대접을 받아본 건 오늘이 처음입니다. 앞으로 몇 년을 더 이 땅에서 사람, 아니, 로봇 노릇을 하다 갈지 모르는 일이지만, 오늘의 이 인간적인 배려와 여러분들 얼굴 결코 잊지 않겠습니다."

그러자 박수가 터졌다. 우렁찬 박수소리 속에서 누군가가 크진 않지만 또렷한 목소리로 이렇게 외쳤다.

"로보 준을 우리나라 대통령으로 모십시다!"

조금 큰 목소리가 그 목소리에 동조를 했다.

"그럽시다!"

그 말에 놀라는 표정을 짓는 사람들도 보였지만, 그보다는 좀 더 많은 사람들이 박수를 쳤다. 로운은 읽던 책을 급히 덮었다. 이게 다 뭔 일이지? 그야 로봇을 신으로 모시는 곳도 있다니, 로봇을 대통령으로 삼지 말라는 법도 없겠지만……. 그 위에다가 준은 훌륭한 인격, 아니 품성을 갖추기는 했지만, 로봇을 대통령으로 모신다는 건 지나친 거 아닌가? 아냐, 지나친 건 아니야. 로운은 침을 꿀꺽 삼켰다. 로봇을 신으로 모시는 곳도 있다잖아?

"안 될 것도 없잖수?"

누군가가 로운 쪽을 바라보며 이런 말을 던지자 로운은 초콜릿을 급히 삼킨 다음 고개를 끄덕여 보였다.

"그보다는 이 딥시티 시민부터 되는 게 순서인 듯싶소. 여러분! 내 말이 맞지요? 우리, 로보 준과 이로운 씨더러 여기서 오셔서 우리랑 오래오래 함께 사시자고 권해 볼까요?"

아무래도 정치적인 면이 강한 리더 격 노인이 나서자 다들 따라서 외쳐댔다.

"오세요! 딥시티로! 오세요! 딥시티로!"

"오너라! 오너라! 어서 오너라!"

준도 당황스러웠는지 로봇들과 생각신호를 주고받은 다음 사람들을 향해 관절을 최대한 많이 움직여 절부터 깊숙이 올렸다.

"여러분도 아시다시피 저는 로봇이기 이전에 의사입니다. 사람 몸을 고치는 일 외에는 아는 것도 없고, 또 관심조차 없습니다. 따라서 정치가는 당치도 않고요. 여기서 사는 문제는 제 주인 되시는 이로운 씨의 동의가 없이는 꿈도 못 꾸는 처지랍니다. 부디 이해를 바랄 뿐입니다."

준의 말에 아까부터 로운을 힐끗거리던 사람들은 일제히 로운에게로 눈길을 돌렸다. 무지개 빛깔만큼이나 다양한 색을 가진 눈동자들이 일제히 자신에게로 쏠리자 숫기가 없는 로운은 당황해서 엉거주춤 몸을 일으켰다. 아무래도 자신의 생각을 분명하게 밝힐 때가 왔다는 생각이 들었던 것이다.

"일단 딥시티 주민은 아니지만, 인간의 한 사람으로서 뛰어난 의술로 도움을 주신 일에 대해 로보 준에게 감사부터 드려야 할 것 같습니다."

여기까지 말하고 로운이 숨을 돌리자 한 사람이 감탄사를 뱉었다.

"대통령감은 저 친구 아냐?"

로운은 그 말을 못 들은 척, 여전히 고개를 준에게 돌린 채 말을 이어갔다.

"전에도 로보 준에게 밝힌 적이 있지만, 전 로보 준의 주인이라기보다는 후배에 가까운 길동무 같은 사람입니다."

자신의 말이 준에게 하는 것이라기보다는 여러 사람을 향한 변명 같은 걸로 바뀌어가고 있지만, 할 수 없다고 로운은 생각했다.

"아시는 분도 여기 계시리라 생각되지만, 우리 둘은 서로의 목숨을 구해준 남다른 연으로 맺어진 사이입니다. 그리고 이런 인연으로 로보월드까지는 꼭 같이 가보자고 약속을 했고요. 말하자면, 우리는 길동무 같은 사이입니다."

"근데, 로보월드는 왜 가시려는 겁니까?"

누군가가 로운을 향해 큰소리로 이렇게 묻자 사람들이 웅성거리기 시작했다.

"거긴 너무 위험해. 사기꾼 로봇들이 너무 많다고."

"눈 뜬 사람 코도 베어가고 이도 빼가는 곳이라잖아."

사람들이 웅성거리는 속에서도 로운은 자신을 향해 질문을 던진 사람을 쳐다보고서 쑥스러운 얼굴로 대답했다.

"구경삼아서 가보고 싶습니다. 한국인들이 많이 모여 산다는 아사달과 우드 랜드 등 몇 군데는 꼭 가보고 싶으니까요. 게다가 로보월드는 로보 준을 누구보다 환영해주는 곳이라고 알고 있어서……. 준! 준 이야기는 직접 하시죠!"

"그렇다면 전, 저는……."

준은 로운의 말이 뜻밖이라는 듯 중얼거리듯 한마디를 던진 다음 또렷한 목소리로 말을 이었다.

"저는 여기 남고 싶습니다. 전 의사로 태어난 게 아니라 의사로 만들어진 로봇이니, 몸이 아프신 분들과 함께 있고 싶습니다."

"오세요! 딥시티로! 오세요! 딥시티로!"

"오너라! 오너라! 어서 오너라!"

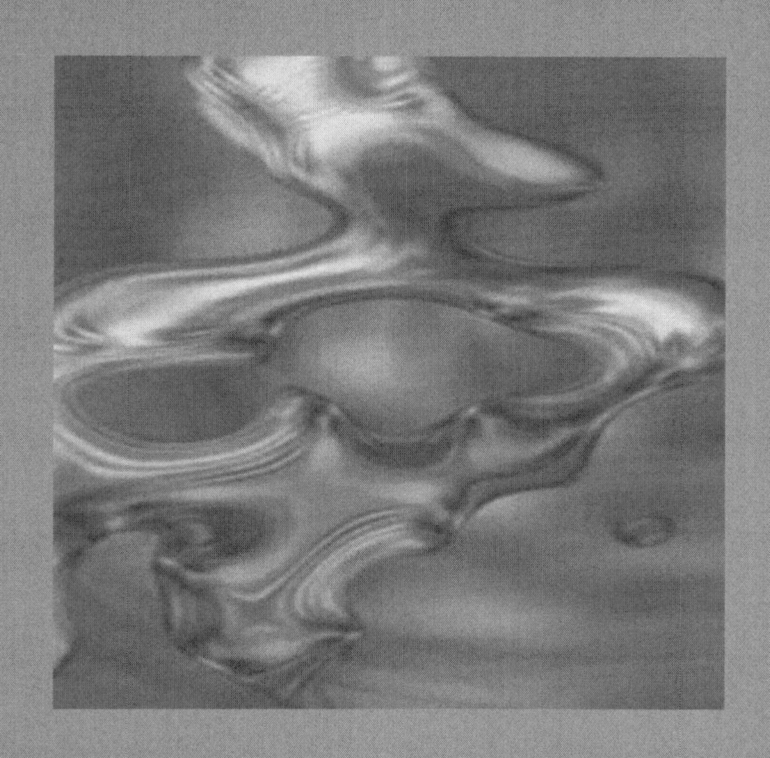

세상의 모든 춤

잔치는 끝날 줄을 모르고 밤이 새도록 계속됐다. 정식 직함은 없지만, 지도자로 통하는 노인의 말에 의하면 이 딥시티가 생긴 이래 잔치는 처음이라는 거였다. 진밸리 부자들도 무슨 이유에선지 떠나지 않고 딥시티의 가난한 사람들과 함께 자리를 지키고 앉아 있었지만, 그들이 들고 온 술과 맛난 음식은 모두 동이 난 뒤였다. 그 후 사람들이 사막에 가끔 서는 장에서 사들고 온 갖가지 먹을거리도 모두 동이 나자 모두들 집으로 돌아가 먹거나 마실 것들을 한두 가지씩 들고 나왔지만, 그마저도 동이 난 뒤였다.

바로 그 무렵, 사람들이 갑자기 드론이 하늘에 떴다고 소리를 지르더니 얼마 후 누군가가 좀처럼 보기 드문 통닭이랑 칠면조구이를 비롯한 먹음직한 옛날 음식들을 잔뜩 안고서 안으로 들어섰다. 진밸리 부자들의 선물이 틀림없었다.

"맞았어. 나야 나. 아까 준 선생 보고는 다들 여기 와서 살라고 권하면서 우리는 못 본 척하기에 내 잠깐 삐쳤지만, 내 나이 벌써 120살이니 그런 일로 삐치면 뭘 하고, 또 돈이 아무리 많다 한들 그 돈 갖고 내가 뭘 하겠어."

이렇게 말하는 진밸리 부자는 이미 사람들에게 노래 실력을 선보인 후였다. 그리 뛰어난 실력은 아니지만 노래를 시켰더니 망설이는 법도 없이 벌떡 일어나 아주 오래전 노래를 불러 사람들의 흥을 북돋아주었던 것이다. 아버지에게 배운, 100년도 더 된 노래라면서 '비단이 장수 왕 서방, 명월이한테 홀려서……' 하고 그가 뚱뚱한 몸을 뒤뚱거려가면서 희한한 춤과 노래를 선보이자 모두들 일어나 꼽추 춤은 물론 병신춤이라고 불리는 웃기는 춤들을 질세라 추어대는 통에 꾸벅꾸벅 졸던 사람들까지 눈을 둥그렇게 뜨고 일어나 박수를 치며 난리법석을 피워댔던 것이다.

"여긴 네트워크가 시원찮은데, 어떻게 드론을 띄운 게요?"

한 알만 먹으면 40일간 배고픈 줄 모르는 알약도 요즘엔 인기지만, 고기란 역시 씹어야 한다며 좋아라하는 사람들 틈에서 누군가가 부자에게 물었다.

"우리 천리마더러 네트워크가 되는 곳까지 달려가서 연락을 취하라고 일렀다오."

'천리마'란 물론 하늘을 날 줄 아는 태양광 드론의 애칭이었다. 날이 밝자 그는 로운더러 천리마를 타고 진밸리로 함께 가자고 권했지만 로운은 로운대로 계획이 서 있었다.

그 시끄러운 곳에서 사람들의 뜨거운 요청으로 사무아가 꾀꼬

리같이 고운 목소리로 노래하기 시작했을 때 수피가 이렇게 귀띔해준 얼마 후였다.

"사무아가 순수한 백인처럼 보이죠? 하지만 저래 봬도 한국인의 피가 섞인 몸이랍니다. 할아버지가 한국인이거든요. 할머니는 그리스인이었다던가? 거기다 외할머니는 네팔인이고, 외할아버지는 프랑스인이라던가? 암튼 난 그렇게 알고 있거든요. 무아라는 이름도 '무지개 뜬 아침'이라는 뜻의 순 한국말이라고 들었고요."

놀라는 로운 앞에 때마침 사무아의 할아버지라는 인물이 바람처럼 나타났다. 아무리 봐도 40대로 보이는 멋쟁이 신사인 그는 임시병원 안으로 들어서자마자 로운에게로 성큼성큼 걸어오더니 손을 척 내미는 거였다.

"하나도 안 변했네. 하긴 변했다면 더 말이 안 되지."

로운은 그 말에 깜짝 놀라 카우보이모자랑 스카프로 멋을 잔뜩 부린 신사를 눈여겨봤지만 아무리 봐도 모르는 사람임이 분명했다. 그렇다고 악수를 청한 사람에게 '누구시죠?' 하고 물을 수는 없는 노릇이라 로운은 엉거주춤 카우보이가 내민 손을 마주잡았다.

"하긴 나를 몰라보는 것도 당연하지……."

카우보이는 아주 잠깐 실망스러운 표정을 짓더니 갑자기 눈의 검은자위를 없앤 다음 입술을 최대한 얼굴 아래로 끌어내리는 거였다.

뭐야, 저건? 개코원숭이 아냐? 로운은 어이가 없어 입을 딱 벌렸지만 수피와 다른 사람들은 물론 로봇들까지 깔깔거렸다. 자리를 슬며시 뜨려던 진밸리 부자들도 킬킬거리며 도로 주저앉았다.

"여긴 왜 이렇게 인물이 많은 거야?"

웃음 띤 얼굴로 진밸리 부자들의 감탄사를 듣고 나서 카우보이는 사람들의 웃는 얼굴을 여유 있게 하나하나 살핀 다음 이번에는 얼굴을 긁어대면서 로운의 주변을 끽끽거리고 뛰어다니며 원숭이 춤을 추어댔다. 그러자 꼽추 춤을 추었던 사람들이 다시 자리에서 벌떡 일어나더니 이번에는 동물들이 뛰거나 기는 동작을 흉내 낸 동물 춤들을 추어대는 거였다.

"이게 뭔 일이람! 세상 모든 춤을 한 자리에서 구경하게 됐으니……."

수피 곁에 앉아 있던 해리스가 로운을 향해 씩 웃은 다음 그들을 열심히 바라보기 시작했다.

"이래도 모르겠어?"

이렇게 말하는 카우보이의 목소리를 듣자마자 로운의 머릿속으로 번개처럼 떠오르는 얼굴이 하나 있었다. 아! 혹시?

"너! 혹시?"

말을 꺼낸 순간 로운은 아차 싶었다. 로운이 알고 지냈던 그 친구와 지금의 이 카우보이와는 외모랑 분위기가 너무나 달랐기 때문이다.

"옳거니! 어서 이름을 말해 보라고."

카우보이가 원숭이처럼 얼굴을 긁어대며 이렇게 부추기자 로운은 다시 망설였다.

"아, 그러니까, 제가 아는 친구랑……."

"그게 누구냐니까?"

모두가 쳐다보자 숫기가 부족한 로운은 궁지에라도 몰린 듯 더듬거렸다.

"설마 사오정, 그러니까 사우진은 아닐 테고……."

그러자 카우보이는 행복한 표정을 지으며 로운을 꽉 끌어안았다.

"왜 아니겠어? 맞아, 사오정이라 불렸던 바로 그 사우진이 나라니깐. 비록 노화 방지 억제 물질과 성형 시술 덕에 늙기는커녕 더 멋있어졌지만. 내가 이래봬도 코미디언 지망생이었잖냐."

자기 입으로 자기가 멋있어졌다고 말하다니……. 옛 친구를 얼싸안고 웃던 끝에 눈물까지 몇 방울 흘리는 와중에도 로운은 그런 생각을 했다.

"이 양반 걸작일세. 근데, 왜 그런 실력을 썩히고 있는 거요?"

자리를 뜨려고 가방을 챙기던 진밸리 부자가 뜬금없이 우진에게 이렇게 물었다.

"그거야 로봇 코미디언들 때문이죠 뭐. 메모리에 동서고금의 우스갯소리를 몽땅 다 집어넣고선 때와 장소와 상황에 맞는 유머를 그때그때 꺼내놓는데, 머리 나쁜 인간들이 당할 수가 있어야죠……."

"그렇담 두말말고 진밸리로 오시오. 거긴 가수랑 코미디언만큼은 로봇보다 사람을 환영해주는 데니까. 노래 기막히게 부르는 저 아리따운 따님이랑 꼭 한번 놀러오시오. 아예 눌러 사셔도 좋고. 하여간 내 섭섭지 않게 대접해 드리겠소."

진밸리 부자가 명함 비슷한 걸 내밀면서 날짜까지 적어주고 돌아간 다음 코미디언 지망생이었던 우진은 로운이 잠든 사이의 변화에 대해 들려주었다. 수만 곡에 달하는 세계 각국의 노래를 불러대는 로봇 가수 랄라를 비롯한 로봇 가수들과 액션과 마술에 강한 로봇 배우들, 그리고 세상 모든 우스갯소리를 다 알고 있는 로봇 코미디언들…….

"로봇 코미디언 중에서는 키키와 크크가 가장 유명한데, 지금은 로보월드에 가야 만날 수 있다네."

"그러잖아도 로보월드부터 가 볼 생각인데."

"그렇다면 정말 잘됐네. 이 무슨 인연인가?"

우진은 뛸 듯이 기뻐했다.

"우리 사무아도 며칠 내로 거길 가야 하거든. 아무리 세상이 변했다고는 하지만 호위 로봇도 없이 멀리 간다고 하기에 걱정했는데……."

끝도 없이 계속된 우진의 이야기를 요약하자면, 사무아와 잘 알고 지내는 A지구의 돈 많은 귀부인이 천재로 알려진 앵무새를 보고 싶어 한다는 게 골자였다.

"100살이 넘은 노부인인데, 유명한 앵무새 수집가라네. 로보월드에 있는 천재 앵무새의 재능을 직접 눈으로 확인해 보고, 되도록 그놈을 돈으로 사고 싶다는 뜻을 전해주는 일이지……."

이야기꽃을 피우고 있는 두 사람을 흥이 채 식지 않은 사람들이 춤판으로 끌어들였다. 숫기 없는 로운은 사양을 했지만, 누구보다 흥이 많은 우진은 온갖 신식 춤을 추어대던 끝에 신나는 탈춤까지

선을 보인 뒤 다시 로운에게로 돌아왔다.

"웬 탈춤씩이나?"

로운이 농담 삼아 한마디를 던졌더니, 우진은 놀라운 이야기를 꺼내는 거였다.

"이 탈춤, 네 아빠가 산에 오르시기 전에 학교에 오셨던 날 가르쳐주신 건데. 우리 춤 동아리 애들이 신이 나서 배웠는데. 몰랐어?"

산을 좋아해 등반가가 되었고, 끝내는 내가 여덟 살 때 산에서 숨진 아빠 이야기를 친구에게서 듣게 되다니……. 하긴 아빠는 돌아가시기 전만 해도 대학 때 배운 탈춤을 내 친구들에게 가르쳐주셨더랬지……. 로운은 저도 모르게 눈물을 한 방울 흘렸다.

"미안! 네 아빠 이야기로 눈물을 뽑아낼 생각은 없었는데. 하지만 돌아가신 다음에라도 엄마랑 함께 나란히 누워 계실 수 있게 된 것만도 어디냐?"

"그게 무슨 소리야?"

로운이 깜짝 놀라자 우진은 더욱 놀랐다.

"못 들었어? 그 존인지 쩐인지 하는 친구한테 내가 연락을 했는데 답도 안해 주더라고."

로운이 농담 삼아 한마디를 던졌더니,
우진은 놀라운 이야기를 꺼내는 거였다.

내일로 떠난 소풍

우진의 이야기는 길지 않았지만, 들을수록 놀라웠다. 5년 전 세상을 떠난 아버님 장례를 수목장으로 치르던 길에 로운의 아빠랑 엄마 이름을 봤다는 거였다. 백두산 천지를 모델로 지은 추모공원 아람드리 소나무에 달린 명패에 두 분의 이름이 적혀 있었다는 이야기였다.

"네 아빠 존함에 '가'자와 '람'자를 쓰셨잖아? 가람은 산이라는 뜻이라면서? 그리고 엄마는 한씨 성에 '가'자와 '을'자를 쓰셨고. 네 엄마도 몇 번 학교에 오셔서 아이들에게 시를 가르쳐주신 적도 있잖아? 난 그전에는 시라는 걸 알지도 못했거든."

우진이 뜬금없이 시를 두어 편 낭송하는 동안 로운은 그 옆에서 눈물을 가만히 훔쳐냈다. 부디 충격으로 또 쓰러지는 일만은 없기를, 하고 바랄 뿐이었다,

"그래서 아름드리 소나무 아래서 한 분 이름만 봤더라면 이름

만 같은 다른 사람이거니 하고 우연으로 여겼을 텐데, 두 분 이름이 나란히 적혀 있는데다 멀지 않은 곳에 그 에버그린힐링센터 설립자 이름까지 보이지 않겠어? 비로소 확신이 들더라니까."

우진이 폰처럼 생긴 아주 작은 기계를 급히 만지작거렸다. 그리고는 사진 몇 장을 찾아낸 다음 서둘러 로운에게 내밀었다. 로운은 부모님 이름을 차마 두 눈으로 마주 볼 수 없어 아주 잠깐 눈을 감았다.

"자, 여기 아버님 존함 이가람님과 어머니 존함 한가을님, 맞지?"

명패가 달린 소나무 사진에서 부모님의 이름 여섯 자를 확인한 다음 마침 추모공원이 아사달에 있다는 말에 비로소 로운은 마음 놓고 소리 내 울 수 있었다.

"그 존인지 쩐인지 하는 친구가 돈 챙기는 일 아니면 관심이 아예 없다는 말도 있고, 의사인 아버지가 복제해서 내놓은 물건이라 기억력이 영 시원찮다는 말도 있지만, 그런 이야기까지 꿀꺽할 줄은 몰랐는데?"

우진의 이야기를 한귀로 들어가며 로운은 우진이 내민 사진에서 눈을 떼질 못했다.

"그게 어느새 5년이 흘렀네. 아버지가 추모공원을 고집하시기에 내 엉거주춤했더니만, 일이 이런 식으로 풀리려고 그랬나? 더 자세한 건 알아다 줄 수도 있지만, 우리 무아도 할아버지가 묻힌 공원에 혼자서라도 가보겠다고 고집을 피우는 참이니 거기도 함께 가면 되겠네. 자넨 가이드가 생긴 셈이고, 우리 무아에게는 믿음직한 호위무사가 생긴 셈이니 서로 잘된 일 아닌가?"

날이 완전히 밝자 로운은 새 친구이자 친구의 친손녀인 사무아와 함께 지하도시인 딥시티를 나섰다. 로사가 빌린 트럭이 떠난 자리에는 기특하게도 시추가 홀로 남아서 로운을 기다리고 있었다. 로운은 오랜만에 시추와 인사를 나눈 다음 로보월드로 함께 출발했다. 로운을 반갑게 맞이한 시추는 스크린을 통해 리처드가 마지막으로 로운에게 남긴 메시지를 펼쳐놓았다.

기억하시는지? 이 선생에게 할 말이 하나 더 남았다고 했던 이야기를. 다름 아니라, 은나래 씨에 관한 이야기가 하나 더 남았다오. 이 선생은 머지않아 여행을 떠날 테고, 가는 데마다 나래 씨 소식을 물을 게 빤한데, 답을 알고 있는 내가 입을 다물고 있는 것도 도리가 아니라는 건 잘 알고 있소…….

'나래'라는 이름을 들은 순간 로운은 호흡을 잠깐 멈추고 심호흡을 했다.

커다란 충격을 받은 이 선생에게 또다시 충격을 주기가 두려워서 잠시 미룬 것뿐이오. 선생이 혹 우울증이라도 걸릴까, 걱정하는 사람들이 많으니까. 본론부터 말하자면 나래 씨는 2060년에 해동돼 새로운 세상에서 10개월을 살다 갔다오. 해동 기술도 기술이지만, 나래 씨 심장이 워낙 약했기 때문이오. 내가 한국인을 좋아한다고 알려져 그 10개월을 어찌어찌 곁에서 지켜보게 되었는데, 나래 씨는 어린 나이에도 불구하고 삶에 집착하지도 않았고, 눈앞에 다가온 죽음을 두려워하지도 않았소. 그냥 이 세상에 소풍 왔다 가는 기분이라고, 그 비슷한 말을 내게 한 적도 있소…….

'소풍'이라는 단어를 대한 순간 로운은 엄마와 나눴던 어느 날의 대화를 문득 떠올려냈다.

그 의미 있는 대화를 왜 나는 그동안 까맣게 잊고 있었을까?

"이로운! 우주인이 되거나, 타임머신을 타볼 생각은 없는 거야?"

내가 병원에서 퇴원하던 날, 엄마는 내게 이런 질문을 던지신 적이 있었지? 내가 깊이 생각해 보지도 않고 고개를 흔들자 엄마는 몹시 실망스러운 표정으로 되물으셨어.

"왜애?"

"모험심이 부족한가 보죠 뭐. 그리고 엄마나 친구들이랑 다 함께 떠나면 모를까. 혼자 엉뚱한 세상에 뚝 떨어진다는 건 재미없을 것도 같고요."

"이상한 나라의 앨리스가 된 기분 같진 않을까?"

"아뇨. 유배당한 기분일 것 같아요. 버림받거나."

엄마는 내 대답을 심각하게 받아들이셨는지 곰곰 생각해 본 후에 이런 이야기를 덧붙이셨지.

"사람 일이란 모르니까, 누가 아니? 우리 이로운이 먼 훗날 타임머신 시승자가 될지."

내가 가능성이 없다고 고개를 흔들었는데도 아랑곳없이 엄마는 진지한 얼굴로 이야기를 이어나가셨지. 시를 좋아하는 문학소녀 출신답게 「귀천」이라는, 좀 어려운 제목의 시 한 구절을 인용해가며……. 맞아! 시인의 이름은 잊었지만, '나 하늘로 돌아가리라'는 구절은 생각난다. 그 다음 구절은 뭐였더라?

> 아름다운 이 세상 소풍 끝내는 날,
> 가서, 아름다웠다고 말하리라……

그랬지……. 그날 엄마가 무슨 이야기를 더 하셨더라? 그래, 만일 타임머신을 타고 100년 전이나, 아니면 300년 후의 세상으로 날아가는 한이 있더라도 너무 충격을 받거나 외로워 말고 그냥 소풍 왔다고 여기고 거기서 아름다움을 찾아보라고 하셨지…….

"오래되진 않았지만, 엄마도 이 세상에 소풍 온 기분으로 살기 시작했단다. 넌 모르지?"

내가 고개를 흔들었더니 엄마는 눈물까지 글썽거리며 내 손을 꼭 잡아주셨지.

"그러고 나니까 세상이 더욱더 아름다워 보이던데? 세상이 아름다운 게 중요한 게 아니라, 내가 세상의 아름다움과 그 의미를 찾아내는 눈이 중요하다는 생각이 들더라고……. 난 우리 로운도 그랬으면 좋겠다. 가능한 한 언제 어디서든, 어떤 상황에서든 세상의 아름다움을 많이많이 찾아내는 사람이 되었으면 좋겠다……."

눈물이 핑 돌도록 만들어준 단어가 '죽음'인지, 아니면 '소풍'인지, 그도 아니면 '엄마'나 '아빠' 혹은 '나래'라는 이름인지 분명하지 않았지만, 로운은 눈물을 흘리는 가운데서도 미소를 머금었다.

그래요……. 엄마, 아빠. 비록 두 분과 오래오래 함께하진 못했지만 두 분의 길지 않은 소풍은 아름다웠음이 틀림없어요. 그리고 즐거우셨으리라 믿어요. 그리고 나래야. 너의 그 짧은 소풍도 분명 아름다웠을 거야……. 나 역시 이 소풍을 끝내는 날, 아름다웠다고, 즐거웠노라고 당당히 말할 수 있도록 이 새로운 세상에서 아름다움을 많이 찾아낼게…….

꿈 밖의 신세계

발행일 2024년 9월 12일

지은이 백주은
펴낸이 마형민
기획 조도윤
편집 조도윤 박한서 곽하늘
디자인 김안석
펴낸곳 (주)페스트북
주소 경기도 안양시 안양판교로 20
홈페이지 festbook.co.kr

ISBN 979-11-6929-565-9 03810
값 15,000원